JN114612

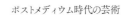
ポストメディウム時代の芸術

ポストメディウム時代の芸術

マルセル・ブロータース《北海航行》について

A Voyage on the North Sea :
Art in the Age of the Post-Medium Condition

ロザリンド・クラウス
Rosalind Krauss

井上康彦 訳
Inoue Yasuhiko

水声社

| 目次

| 凡例

・本書は、Rosalind Krauss, *A Voyage on the North Sea: Art in the Age of the Post-Medium Condition*, Thames & Hudson, 1999.の全訳である。
・書籍、雑誌、映画のタイトルは『　』で示した。
・美術作品のタイトルは《　》で示した。
・展覧会、論文タイトル、引用、大文字で始まる語句は「　」で示した。
・引用文中の〔　〕は原著者による補足である。
・〔　〕は訳者による補足ないし注である。
・イタリック体については、タイトル表記、および英語以外の表記で用いられるもの以外は傍点で示した。
・引用箇所については、既訳のあるものはできるかぎり参照し原注内に付記したが、訳文は必ずしもこれに依拠しない。
・文脈上および構成上、必ずしも上の規則に従わない箇所もある。

「メディウム」という語にはあっさりと見切りをつけ
られる。批評上の数々の有害廃棄物と同じようにこの
語を土に埋め、この語から離れ、自由な語彙の世界に
入って行ける。当初私はそう考えていた。「メディウム」
はあまりにも酷く汚染され、あまりにもイデオロギー
的に、あまりにも教条主義的に、あまりにも多くの言
説上の意味を詰め込まれたもののように思えたのだ。

　スタンリー・カヴェルが用いる「オートマティズ
ム」を使えないかとも考えた。彼は映画を（比較的）
新しいメディウムとして取り上げつつ、自分自身に
とってモダニズム絵画についてまだ解明されていない
と思われた事象を焦点化する、という二重の問題に
取り組む際にこの語を転用したのだった[01]。彼にとって

「オートマティズム」という語は、映画の構成要素——カメラの仕組みに依存する部分——が 自 動（オートマティック）だ、という意味を捉えたものだった。またこの語は、無意識の反射としての「オートマティズム」というシュルレアリスム的な使用法にも接続されている（これから見るように、これは危険だが有用な示唆である）。そしてこの語は、出来上がった作品が作者から自由だという意味での「自律性」（オートノミー）を仄めかす可能性も含んでいるのだった。

　芸術についてのより伝統的な文脈で使われるメディウムやジャンルといった概念がそうであるように、オートマティズムという概念も、もともとは技術的（ないし物質的）支持体と諸々の約束事（コンヴェンション）——それぞれのジャンルがその支持体の上で作動したり何かを表現したり機能するためにこれらの約束事が必要となる——との関係を含むものだった。ところが「オートマティズム」とわざわざ言う場合には、この語は「メディウム」についてのこの伝統的な定義の前に、即興——偶然に賭けることの必要性——の概念を捩じ込むものと

なり、そうすると個々のメディウムは芸術的伝統の保証から切り離される。こうした即興的なるものの意味こそが、「精神のオートマティズム」という〔シュルレアリスム的な〕連想を呼び込むのである。とはいえ、あるジャンルの技術的な基盤とその所与の約束事との関係が解放のスペースを開いてきたように——たとえば、声同士の複雑な結婚を即興でつくることを可能にしているのは、フーガの様式である——、ここでいう自動的な反射は無意識のそれではなく、むしろ即興がつねに保持している表現上の自由のようなものである。いま問題にしている諸々の約束事が、フーガやソネットのそれのように厳格である必要はない。それらは非常に緩かったり大まかなものであったりすることもある。しかし、それらがなければ即興の成否は判断できないだろう。つまり、表現性に目的がなくなってしまうということだ。[02] 私にとってカヴェルの提示する例が魅力的に映ったのは、既存のいかなるメディウムにもすでに複数性が内在しているので美術のメディウムをまっ

さらなひとつの物質的支持体にすぎないものと見做すことは不可能だ、と主張していたからだ。還元主義的性質と物象化へと邁進する傾向のすべてによってメディウムを単なる物質的対象と見做そうとするこうした定義が、美術業界の共通貨幣になっていたこと。そしてこの定義が「クレメント・グリーンバーグ」という名前と紐づいていたために、60年代以降は「メディウム」という語を発すると「グリーンバーグ」を喚起するようになっていたこと。これが、私の直面していた問題だった。実際、「メディウム」を「グリーンバーグ化する」こうした傾向にあまりに強い普及力があったために、歴史的に先行する「メディウム」についてのさまざまな解釈は、当時すでにその複雑性を取り除かれていた。たとえばモーリス・ドニが1890年に記した「絵画は、軍馬や裸婦や何らかの逸話である前に、本質的には、ある一定の秩序にもとづいて集められた色彩に覆われた平らな表面である、ということを思い起こすべきである」という有名な格言は、絵画が「平

面性」へと本質主義的に還元されていくことになる単なる前兆として、当時読まれていた。ドニの発言の要点はそこではなく、彼はむしろ再帰的構造と言っていいような重層的で複雑な関係性——構造内にある諸要素が生み出すルールによってその構造自体が生成される、といった構造——について述べているのだが、そのことは完全に……無視されていた（し、いまも無視されている）。しかも、この再帰的構造は所与のものではなく作り出されるものである。そのことは、たとえばかつて美術アカデミーにおいて教育のために諸芸術がそれぞれに異なるメディウム——絵画、彫刻、建築——で表現を行うアトリエに振り分けられたように、「メディウム」と技術の問題との伝統的な結びつきのなかにすでに潜在している。[04]

　最終的に私が「メディウム」という語を使いつづけることにしたのは、これに付きまとっているすべての誤解や誤用にもかかわらず、この語が私の取り組みたいと考える言説の領域に開かれているからだ。歴史

的なレベルにおいて、この概念の不幸な経緯は、年代的には批評的ポストモダニズム（制度批判、サイトスペシフィシティ）——これはこれで、問題の多い波紋を広げたのだった（インスタレーションアートの世界的な流行現象）——の台頭と重なっている。つまり、「メディウム」だけがこうした事態の変化に晒されてきたように思うのだ。また語彙のレベルにおいても、「固有性(スペシフィシティ)」の問題を引き寄せられるのは「オートマティズム」やその他の何かではなく、「メディウム」という語でしかありえない——「メディウム・スペシフィシティ」という名称のように。「メディウム・スペシフィシティ」もまた、不運にも不当な意味を込められた概念ではある——メディウムがあからさまな物質的性質のみに還元されたということになったために、この概念は、具象化ないし物象化の一形式として、誤ったかたちで書き換えられたのだ。しかしそれでもこれは（その本来の意味においては）、メディウム内部で重層化された諸々の約束事がどのように機能するかを論じるすべての議

論の本質を指し示す概念である。というのも、再帰的構造の性質とは、少なくとも部分的には、構造が構造自体を固有化できるということにほかならないからだ。

　そういうわけで、以下につづく考察において、私は「メディウム」という語に固執することで読者にも同じようにこれを押し付けることになるだろう。しかし、序文のかたちをとっているこの覚書によって、「形式主義」をめぐる最近の論争とは無関係に長い歴史を持つこの語自体と、こうした論争が生み出したこの語の腐敗と価値下落についての思い込みとを、私が分けて使っていることが伝われば幸いである。

ポストメディウム時代の芸術

図1、図2 マルセル・ブロータース『ス
テゥディオ・インターナショナル』の
表紙（上）と裏表紙（左）、1974年10月。

唯物主義者として鋭い先見の明があったブロータースは、芸術生産が文化産業の一部門へと完全移行するという、われわれが今になってようやく認識した現象を、すでに 1960 年代半ばには作品に取り入れていた。

ベンジャミン・ブクロー[*05]

1

　マルセル・ブロータースが 1974 年号の『ステゥディオ・インターナショナル』誌のために案出した表紙を取り上げることが、これからここで私が述べる内容の導入として相応しいように思う。それは「FINE ART」と綴られた判じ絵が描かれたものだ（**図1、図2**）。「FINE」の最後の文字「E」の位置に鷲の絵が充てられていて、「ART」の頭文字「A」の代役としてロバが描かれている[*06]。鷲が高潔さ、高貴さ、皇帝の地位

等々を象徴するという通念を採用するならば、鷲と芸術が持つ高尚さとの関係性は明々白々だろう。また同様にロバについて即座に思いつくのは、それが重荷を運ぶ獣の低俗さを表すということである。そう捉えると、ロバと芸術とは、鷲が想起させる統合運動——ばらばらに存在する芸術をまとめ上げ「芸術」というより大きな総合概念へと組み込む運動——ではなく、長時間に及ぶ単調な作業につぎ込まれる個々の技術やその他諸々に備わる馬鹿真面目な特性によって結びつく。「画家のように愚鈍だ」と人は言う。

　しかしまたこの判じ絵において、描かれた語の一部が月食のように覆い隠され本来の綴りが破綻していると読むことも可能だ。してみると、「FIN ARTS ＝ 芸術の終焉」という、いくらか独特の含みのある語が現れる。ブロータースはしばしば彼固有の仕方で作品に鷲を用いてきたが、こう読み換えてみると、この判じ絵もまたそのひとつだと分かり、それこそがこの芸術の終焉あるいは——判じ絵をより詳細に読み解くなら

ば——複数の芸術の終焉をめぐるある特定の物語に関わるものなのだ。

実際この終焉をめぐっては、かつて或るひとつの物語が語られており、1960年代後半から70年代初頭にかけてブロータースはとりわけこれに敏感になっていた。それは徹底的な還元を主張するモダニズムの物語である。モダニズムは、絵画メディウムの本質はその平面性にあるとした上で、絵画を平面性のみに切り詰めその可能性を制限しようとするものだった。それがあまりに極端だったために、理論のプリズムによって屈折した絵画はその存在を根底から覆されただけでなく、絵画とは正反対のものに形を変えて、突如レンズの向こう側に現れたのだった。この話には続きがあり、フランク・ステラがブラック・カンヴァスの作品群——これらは、絵画の本質を単なる無機質な物理的特徴として措定している——によって、絵画を凹凸のない平面として物質化してみせたのだ。ドナルド・ジャッドはこれを見て、絵画はもはや他の三次元

の事物と同じようにひとつの物体になってしまっているということを認識した。さらにジャッドは、絵画と彫刻を差異化するものはもはや何もなく、両者を個々に独立したメディウムとして分けることはもうできない、と判断したのだった。このように区分できなくなった〔絵画でも彫刻でもない〕混成体に彼が与えた名が「固有の物体」である。

ところがジョセフ・コスースが、モダニズムの還元によって生じたこの逆説的な産物にふさわしい語は「固有」ではなく「一般」だということにいち早く気づいた。[*08]なぜならモダニズムが絵画のうちにその本質——メディウムとして絵画を固有にしているもの——を探求しつづけた結果、極度に押し進められたその論理が絵画を根底から覆し、「芸術」という包括的カテゴリー——芸術一般——のなかに移し入れることで絵画を空洞化させたからだ。いまや「芸術」そのものの本質を定義することが、モダニズムの芸術家たちの存在論的な労働になっている、と彼は主張してい

る。「現代において芸術家であるということは、芸術の本性を探求するということだ」とも述べている。「絵画の本性を探求しても芸術の本性を探求したことにはならない。「芸術」という語は一般性を示すが、「絵画」は固有性を示すからだ」。

　いまや作品が芸術の定義を作るわけだが、その定義は言述の形態をとるほかないので、作品自体も物理的なモノから言語という概念の状態へと純化されるほかない、というのがコスースのさらなる主張だ（**図3、図4**）。こうした事態は、ひとつの分析命題から導出される論理的帰結を反映したものだ、と彼は捉えている。とはいえ彼は、これらの言述も芸術にほかならず、いわゆる哲学とは別のものだと見做している。その言語形態は、いま目の前にある絵画や写真といった個別具体の作品の背後にある超越性を示すだけだ。それぞれが感覚に訴える内容を持つ個々の作品は、より高次の美の総体——「芸術」自体——に包摂されており、それらは「芸術」が部分的に具現したものに過ぎないのだ、と。

ill.no.	3
size	59.7 x 59.7
mono	

mean·ing (mēn′iŋ), *n.* 1. what is meant; what is intended to be, or in fact is, signified, indicated, referred to, or understood: signification, purport, import, sense, or significance: as, the *meaning* of a word. 2. [Archaic], intention; purpose. *adj.* 1. that has meaning; significant; expressive.

図3 ジョセフ・コスース《観念としての観念としての芸術》、1967年。
図4 ジョセフ・コスース《第七調査（観念としての観念としての芸術）》、1969年。

コンセプチュアル・アートはさらに主張する。美術市場もいよいよ他の市場と同じ様相を呈すようになり絵画も彫刻も商品形態に落とし込まれ市場での価格競争への参加を余儀なくされるようになったが、コンセプチュアル・アート独自の実践は、芸術から物質的不純物を除去することによって、また芸術を「芸術についての理論」として生み出すことによって、商品形態を免れてきたのだ、と。さらにこの宣言には、当時モダニズムの歴史に生じていた逆説も織り込まれている。固有のメディウム──絵画、彫刻、ドローイング──は、自律していることを根拠にその純粋性を主張してきた。つまり、本質のみに切り詰められているというその宣言のなかでは、それらメディウムは必然的に自らの枠外にあるすべてのものから隔絶しているということになっていた。ところが逆説的にも、個々のメディウムが自閉に向かえば向かうほど、この自律性が現実にはありえないものだということが明らかにされていった。また〔モダニズムの〕抽象芸術においては、その生産法

自体が、取り換え可能な純粋交換価値としての地位にあることが作品内部に透けて見え——たとえば抽象絵画は、次々と反復的に仕上げられる——、それ自体にも工業製品の刻印が付されているように見えるのだった。メディウムがそれぞれ自律しているというこの思い込みを捨て去り、多種多様な形式と場所——大量に刷られる書籍、巨大看板など——を積極的に採用すること。そうすることでコンセプチュアル・アートは「芸術」の高い純度を確保できると考えた。そのためそれは、商品の流通経路に乗りつつ、そのときどきで必要とあれば、どんな形式でも採用し、そればかりかホメオパシーによる防御機制のようなものでそれらと同化することで、市場本来の作用を免れるのだった。

　ブロータースは過去に「近代美術館、鷲部門」という4年間にわたるプロジェクトを企画している。これは、彼がかつてフィクションの美術館として語ったことのある構想を、現実の美術館の12のセクションとして実装したものである(図5〜図8)。このプロジェ

クト自体は 1972 年には終わっているが、その意図の
ひとつが明らかに『ステュディオ・インターナショナ
ル』誌の表紙にも引き継がれている。この数年前、ブ
ロータースは自分のなかでは「鷲は観念にほかならず、
芸術も観念にほかならない」と説明しており、このこ
とから分かるように彼が鷲を用いる際は、これにコン
セプチュアル・アートの象徴の役割を賦与することが
ほとんどだった。それゆえ、この表紙において鷲の勝
利が告げているのは「芸術」の終焉ではなく、固有の
メディウムを持つものとしてそれぞれの芸術が個別に
存在するという考え方が終わりを迎えた、ということ
なのである。しかもそれは、メディウムの固有性が失効
した後にふさわしい形式をとって行われている。

　一方で、この鷲自体は判じ絵という混成的ないし複
合メディア的な状態に織り込まれているために、ここ
においては「言語/図像」だけでなく「高い/低い」
やその他考えうる二項対立を無限定に混合しうる。し
かし他方で、ここでの具体的な組み合わせは完全に無

図5（右）　マルセル・ブロータース《近
代美術館、鷲部門（ダヴィッド＝アング
ル＝ヴィールツ＝クールベ）》、1968年。
図6、図7（下）　マルセル・ブロータース《近代美術館、鷲部門、19世紀セクショ
ン》、ブリュッセル、1968-9年。

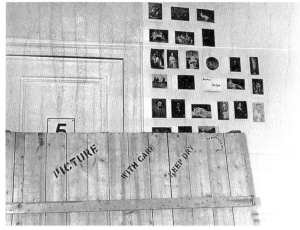

図8　マルセル・ブロータース《近代美術館、鷲部門、ドキュメンタリセクション》、1969年。

作為というわけではない。これが生じている場所自体に、美術雑誌の表紙という固有性があるからだ。美術雑誌もまた市場の一部であり出版産業が市場に仕えているために、この鷲の図像も市場の動向から自由ではないのだ。結果的にそれは広告やPRの一形式となり、今度はコンセプチュアル・アートの販売促進を行うことになるのである。ブロータースは、これとほぼ同時期に『インテルフンクツィオーネン』誌の表紙デザインとして案出した告知文のなかで、そのことを明示している（図9）。それにはこう書かれている。「ある見解。これによれば、芸術作品自体が自らの生産原理の広告の機能を果たすのと同様に、芸術理論が芸術作品の役割を果たす、ということになる。この見解以外選択の余地はないだろう。云々……［署名］ブロータース」。こうして理論として二重化された芸術は（とりわけ作品自体が自らを説明する理論である場合）、PR機能を持つ場所へと正確に届けられる。しかもそれには、批評機能の残滓すらないのである。

図9　マルセル・ブロータース『インテルフンクツィオーネン』の表紙、1974 年秋。

AVIS
selon lequel

*une théorie artistique fonctionne-
rait comme publicité pour le pro-
duit artistique, le produit artis-
tique fonctionnant comme publi-
cité pour le régime sous lequel il
est né.
Il n'y aurait d'autre espace que
cet avis selon lequel etc. ...*

Pour copie conforme

ANSICHT
derzufolge

*eine künstlerische Theorie letzt-
lich als Werbung für das künstle-
rische Produkt funktioniert, wie
das künstlerische Produkt immer
schon als Werbung für das Regime
funktioniert, unter dem es ent-
steht.
Es gibt keinen anderen Raum als
diese Ansicht, derzufolge etc. ...*

Für die Richtigkeit

VIEW
according to which

*an artistic theory will be func-
tioning for the artistic product
in the same way as the artistic
product itself is functioning as ad-
vertising for the rule under which
it is produced
There will be no other space than
this view, according to which
etc. ...*

For copy conform

Marcel Broodthaers

また同様に、それには形式の痕跡もない。複合メディアによってメディウムの固有性が失効し、それに伴って、鷲が諸芸術を服従させていくなかで、この鳥の特権自体が、多種多様な場所──今度はそのそれぞれ場所が「固有」と呼ばれる──へと分散され、そこで組み立てられるインスタレーションのそれぞれが、場所自体の実装の条件について、しばしば批判的に評価を下すのである。その目的のために、それらには絵画から言語、ビデオ、レディメイドのオブジェ、映画に至るまで、思いつくあらゆるすべての物質的支持体が用いられることになる。ところが今度は、場所自体──美術雑誌、美術商の展示ブース、美術館──をも含み込んだいかなる物質的支持体も、商品化という均質化の原理によって均され、純粋等価システムに還元される。何ものもこの純粋交換価値の仕組みからは逃れられず、すべてのものが根底に横たわる市場価値を反映する透明な記号となるのだ。こうした還元の作用が、ブロータースによって、躁病的とも言える常軌を

逸した形式で可視化されている。彼は無作為に並べたオブジェに「Fig.1」、「Fig.2」、「Fig.0」「Fig.12」といった数を割り振った「図番号（フィギュア）」ラベルを貼り付け、そのタグによってそれらオブジェに等価性を付与したのである。フィクションの美術館「映画セクション」では、これらのラベルが鏡やパイプや時計などの日用品に貼られただけでなく、映画スクリーンそのものにも図番号が、まるで銃弾で穴だらけにされたように付され、それによって今度は、スクリーンに映写されるものすべて——チャップリンからブリュッセル王宮に至るまで——も、ブロータースのこの「Fig.」の一覧に登録されるのだった（図10〜16）。

　フィクションの美術館に設置された「形象＝図セクション（漸新世から現在の鷲）（フィギュア）」で、ブロータースがこの均一化の原理の下に300以上の多種多様な鷲を展示したことはよく知られている。この方法によって、鷲はもはや気高さを表す形象ではなく、形象を持った単なる一記号、つまり純粋交換経済の符号となるのであ

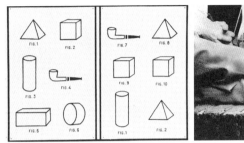

図10（左）　マルセル・ブロータース《本　絵画》、1969-70 年。
図11（右）　マルセル・ブロータース、無題、1966 年。

図12　マルセル・ブロータース《近代美術館、鷲
部門、映画セクション》、1971-2 年。サドゥール
の『映画の発明』を持つブロータース。

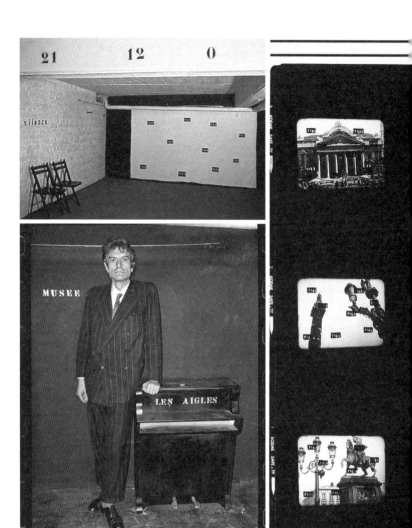

図13（左上）　マルセル・ブロータース《近代美術館、鷲部門、映画セクション》、1971-2 年。展示会場の外部空間に設置されたスクリーンにペイント。

図14（左下）　マルセル・ブロータース《近代美術館、鷲部門、映画セクション》、1971-2 年。

図15（右）　マルセル・ブロータース《ブリュッセル物語》、1971 年。

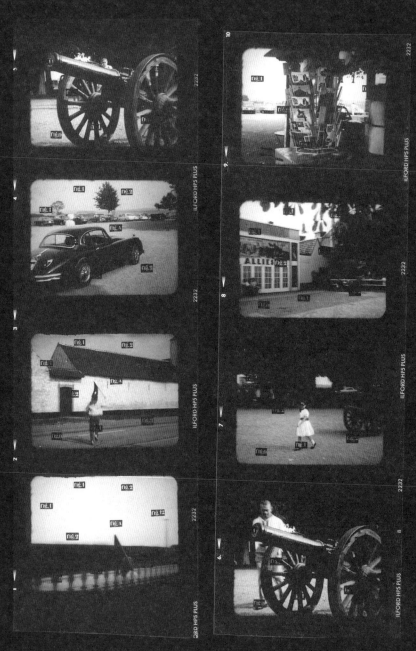

図16 マルセル・ブロータース《破壊への旅（ナポレオン 1769-1969）》、1969 年。

図17（上）　マルセル・ブロータース《近
代美術館、鷲部門、形象＝図セクショ
ン（漸新世から現在の鷲）》、1972年。
デュッセルドルフ美術館での展示風景。

図18　マルセル・ブロータース《近代美術館、鷲部門、形象＝図セクション（漸新世から現在の鷲）》、1972年。

る（図17〜図22）。しかしここには、ブロータース自身も生きてみることのなかった、さらなる逆説が含まれていたと言える。というのも、芸術のメディウムという概念を内側から破壊すると同時に、すべてをレディメイドに変換し、芸術作品と商品との差異を無効化するこの鷲の原理によって、鷲が瓦礫の上へと舞い上がり再び覇権を握ることになったからである。25年後の現在、世界中のあらゆるビエンナーレや芸術祭において、鷲の原理は新たなアカデミーとして機能している。インスタレーション・アート、制度批判、何と名乗ろうが、複合メディアを用いた設置型の作品が世界的に広がり、至るところに遍在するようになった。それらは勝ち誇ったように、われわれはいまポストメディウム時代に生きている、と宣言しているようだが、言うまでもなく、こうした形式のポストメディウム的条件の源流は、ジョセフ・コスースではなくマルセル・ブロータースにある。

図19、図20、図21、図22　マル
セル・ブロータース《近代美術館、
鷲部門、形象＝図セクション（漸
新世から現在の鷲）》、1972年。

2

　ブロータースが鷲の原理をめぐる構想を練り上げつつあったのとほぼ同じ頃、美術の世界にもうひとつ大きな展開をもたらす技術が登場し、圧倒的な波及力を伴いながら、独自の仕方でメディウム・スペシフィシティの概念を破壊した。それこそがポータパック——安価のモニター付き軽量カメラ——、つまり、芸術実践におけるビデオの出現である。これについて説明するには、さらなる物語が必要だろう。

　物語の舞台は、アンソロジー・フィルム・アーカイブスである。ニューヨークのソーホーにあったこの上映室では、60年代の終わりから70年代初頭にかけて、ジョナス・メカスが収集したモダニズム映画のレパートリーが毎晩のように上映され、それを観に、美術作家や映画監督、作曲家など、さまざまな芸術家たちがここに集った。定期的に上映されるその映像資料に

は、ソビエトやフランスのアヴァンギャルド映画、サイレント時代のイギリスの記録映画、アメリカの初期のインディペンデント映画、チャップリンやキートンの映画などが含まれていた。[*12] この映画館に据えられたウィングチェアのような座席は、周囲の視界を完全に遮断する構造にデザインされていて、暗闇のなかで席に腰を下ろした彼らは、漏らすことなくすべての注意をスクリーンそのものに集中させることになるのだった。リチャード・セラやロバート・スミッソン、カール・アンドレといった美術作家たちは、「平面性」という教義を据えたグリーンバーグ流の硬直したモダニズムに対する深い反感によって、ここに集っていたと言っていい。ところが皮肉にも、アンソロジー・フィルム・アーカイブスに集うこと自体がそもそも、彼らが熱心なモダニストだということになってしまうのだった。マイケル・スノウやホリス・フランプトン、ポール・シャリッツといった構造映画の作家たちの動向に影響を及ぼし、かつその PR の場でもあったアンソロ

ジー・フィルム・アーカイブスでは、彼らの上映がたびたび行われ、それが侃々諤々の議論の土壌を提供し、この若い美術作家のグループは、自らの作品の制作過程を、映画メディウムそのものの本質に焦点を当てた映画のごときものに落とし込もうと考えることになったわけだが、それこそがまさに芯の芯までモダニズム的だったからである。

　ところで、この当時交わされた、映画の固有性をめぐる豊熟した議論によって、映画メディウムの集合的条件からひとつの思考が導出され、それによって彼らより少し後の世代の論者たちは、「装置」という複合を表す概念を使って映画の支持体を定義するようになった――映画にとってのメディウムないし支持体とは、イメージを焼き付けたセルロイドのフィルムストリップではないし、イメージを撮影するカメラでも、イメージに命を吹き込み運動させる映写機でも、イメージをスクリーンにまで届ける光線でも、スクリーンそれ自体でもなく、背後の光源と目の前に投影され

たイメージに挟まれた観客の位置をも含み込んだ、そ
れらすべてが寄り集まったものなのだ、と。[73] 構造映画
の目論見は、多種多様な要素からなるこの支持体を持
続する単一の経験へとまとめ上げることであり、そこ
において、それらすべての要素の完全なる相互依存関
係そのものが、観者が志向性の働きによって自分自身
の世界と繋がる仕組みの一モデルとして立ち現れる
ようにすることだった。この装置を構成する諸要素は、
触れられることなしには互いに触れることもできない
性質のものである——そしてこの相互依存性によって、
観客と視野とが相互作用によって同時に現出するさま
が、ひとつの軌道として描き出される。この軌道を通
して視覚は、対象に触れると同時にそれから触れ返さ
れもするのである。45 分間ほとんど途切れることの
ないズームインのみで構成されている、マイケル・ス
ノウの《波長》(図 23) は、軌道として現出するこの
結合を、どこまでも直接的かつ明白なものとして鍛え
あげようという試みを、生々しい強度で捉えたもので

図23　マイケル・スノウ《波長》、1967 年。

ある。この作品がどうにかして表現しようとしているのは、かつてメルロ゠ポンティが「前客観的」と呼んだものであり、それゆえ抽象的なものである。そのため、この結びつきを「現象学的ベクトル」と呼ぶことができるだろう。[14]

　アンソロジー・フィルム・アーカイブスの常連のひとりであったリチャード・セラにとって、《波長》のような作品は、二つの意味で重要なものだった。まず第一に、スノウの映画それ自体が、水平に進む純粋な推力そのものに仕立て上げられている、ということがある。抗うことのできない〔ズームの〕前進移動が、映画と時間の関係性を表す抽象的な空間のメタファーとなっており、もはやそれは、宙吊り状態によって進行していくドラマの様式そのものにまで徹底的に削ぎ落とされていると言っていい。[15]セラ自身も、作品自体が水平性の経験であるような彫刻を作りたいという衝動を抱えていたために、それが美術作品として成立する確証を《波長》のなかに見たのである。[16]しかしそれ

以上に彼は、構造映画そのもののなかに、美術における新たなメディウム概念の裏づけとなるものを見出したのだった。それは映画メディウムのように還元不可能で、しかしまた映画メディウムのように徹底的にモダニズム的なものだ。

　セラが美術におけるメディウム概念を再構築したことが一因となって、彼と同世代の作家たちは、ジャクソン・ポロックについての新解釈を手にした。クレメント・グリーンバーグが主張したように、ポロックがイーゼル絵画を超えて、次の段階へと進化していたとしても、それは彼が従来よりも巨大で平坦な絵を描いたからではない。彼の功績はむしろ、作品の軸を90度傾け、作品を絵画対象の次元の外へと完全に締め出したことにあり、カンヴァスを床に据えることによって、物象化されたモノを生み出すことに向かいつつあった芸術の目的全体を、対象と主体とを接続させるベクトルに形を与えることへと変えてしまったことにあるのだ、と。

セラはこのベクトルを、出来事が起きる水平の
フィールドと解釈し、出来事自体の内的論理のなかに、
この水平のフィールドをメディウムとして仕立て上げ
る表現の可能性や約束事を見出すという課題に取り組
んだのである。なぜなら、芸術実践を下から支えるた
めに、メディウムは諸々の約束事が生成する基盤とな
る構造でなければならず、メディウム自体が約束事を
生み出す主体であるとすると、約束事のいくつかはそ
のメディウムにとって完全に「固有」のものとなり、
ここで生み出される経験も、それぞれ必然的に固有性
を持つものになるからだ。[19]

　ここで議論をすすめるにあたって、セラがこれにど
のように取り組んだのかについて厳密に知っておく必
要はない。[20]セラがこれらの約束事を作品制作という出
来事の論理から導出していること、その際その出来事
が工業製品のように同一の型で大量生産されるもので
はなく、別々に存在する反復の系列が任意の一点で重
なり合うといった周期的な波のような流れの差異を含

んだ状況において連続する形式で生じること、それさえ押さえておけばいい。重要なのは、物質的性質を備えた単なる物理的対象としての支持体ではなく、自分自身をも機能全体の一部として取り込んでしまうメディウムというものを、セラが経験し作品において明確化したということである——そして、にかかわらず、彼が自分自身をモダニストだと捉えていたことである。前述したインディペンデントの構造映画——これ自体が複合の支持体からなる産物でありながらモダニズム的である——が彼にそのことを確信させたのだった（図24）。

　さてここで、教科書的に理解されている還元主義的モダニズムの歴史の方へと少し迂回して、「固有な物体」についての論理によって書かれた箇所の記録を修正しておく必要がある。というのも、セラの場合と同じように、ポロックについてのグリーンバーグの見解もまた、最終的には彼自身に、メディウムについての物質主義的で潔癖なまでに還元主義的な

図24　リチャード・セラ《鋳造》、1969-91年。

意見を放棄させるものであったからだ。モダニズムの論理は、「〔絵画に本質的な約束事ないし規準——平面性と平面の境界確定——〕というただ二つを遵守すること」で絵画として経験しうる対象を生み出すには十分だというところまで到達しているとグリーンバーグは捉えたが、その次に彼は、この対象をかつて彼が「視覚性」と呼んでいた流動体のなかに溶かし込んで、それを「カラーフィールド」と名づけたのである。つまりグリーンバーグは、絵画の本質として平面性を抽出するや否や、〔壁に掛かっている〕現実の絵画表面からフィールドの軸を90度傾けて、絵画の意味すべてを、観者と対象とを接続するあのベクトルに位置づけたのである。このことから、彼は絵画についての解釈の軸足を、第一の規準——平面性——から、第二の規準——平面の境界画定——へと移したように思うのだ。彼にとって後者、平面の境界画定とは、物理的対象の輪郭を画定することではなく、視野そのものが共振的に投影されることを意味する——「モダニズムの絵画」（1960）

のなかで、彼はこれを「手つかずのまっさらなカンヴァスの平面性を破壊する初筆の印」によって生み出される「視覚的三次元性」と呼んでいる[22]。純然たる色彩の光輝のみに起因するこの共振現象は、脱身体化されているために、純粋に視覚的なものであるばかりか「絵画平面を開き拡張するもの」[23]でもある、と彼は言う。それゆえ、グリーンバーグのいう「視覚性」は、かつて伝統的な遠近法によって設定された観者と対象との相関関係を徹底的に抽象化し図式化したものであるが、もはやそれは測量可能な物理空間を表す実数パラメータを超越し、前客観的次元における「見る」という現象の、純粋に投影的な諸力——「視覚現象そのもの」——を表しているのである[24]（**図25〜図26**）。

　いまや絵画にとってもっとも重要な関心事は、物理的な絵画表面の平面性といったその物質的、客観的特徴ではなく、絵画作品が観者に呼びかけてくるその固有の様式を読み解くことであり、それを諸々の新たな約束事——あるいは、マイケル・フリードのいう「新

図 25（上） ケネス・ノーランド《粗い陰影》およ
び《条線》、アンドレ・エメリッチ・ギャラリーで
の展示風景。
図 26（右） ケネス・ノーランド《騒動》、1967 年。

しい芸術」──が生み出される源泉とすることである[25]。たとえば、こうした約束事のひとつとして出現したものとして、絵画のなかに吸い込まれていく感覚というものがある。壁面から遠ざかるように回転しつづける色彩のフィールドから生み出されるこの感覚が、絵画表面に遠近法的な煽動効果をもたらし、観者を絵画の内奥へと引き込んでいく。批評家たちは、こうした感覚が現れたことによって、絵画のスピード感について語るようになった──レオ・スタインバーグは、これを「急いでいる人間の視覚効率」と呼んでいる[26]。もうひとつは、連続性──それぞれの作品間にも、その制作にも内在している連続性──に由来するものであるが、カラーフィールドの画家たちは、例外なくこれを手段に用いていた。

　このように、60年代において「視覚性」は、単なるひとつの芸術の特徴以上のものとしての役割を担っていた──それは芸術の「メディウム」になっていたのである。それはまた、集合的性質を持つものでもあ

るので、教科書的に理解されているモダニズムの還元主義的論理――その論理と教義は、今日でもグリーンバーグその人に紐づいている――と真っ向から対立するものだった。ところが、グリーンバーグもフリードも、カラーフィールド・ペインティングを新たなメディウムとして論じることはなかった――彼らはそれを、抽象絵画の新たな可能性として語るにとどまったのである。[27] プロセスアート――セラの初期の作品は、この用語で語られた――についても、彼らは適切に論じてはいない。どちらの場合においても、もはや内的に差異化されているものと見做されるべきものであるが、それでもメディウムの固有性は保持している、ということも、当然論じられなかった。どちらも映画モデルと同じ構造をしていると言っていいものである。というのも、映画モデルにおいて目指されるのは、映画装置内部の多種多様な要素を、不可分な単一の経験のまとまりへと止揚し、それを―― 45分のズームインのように――映画全体の本質を表す存在論的メタファーな

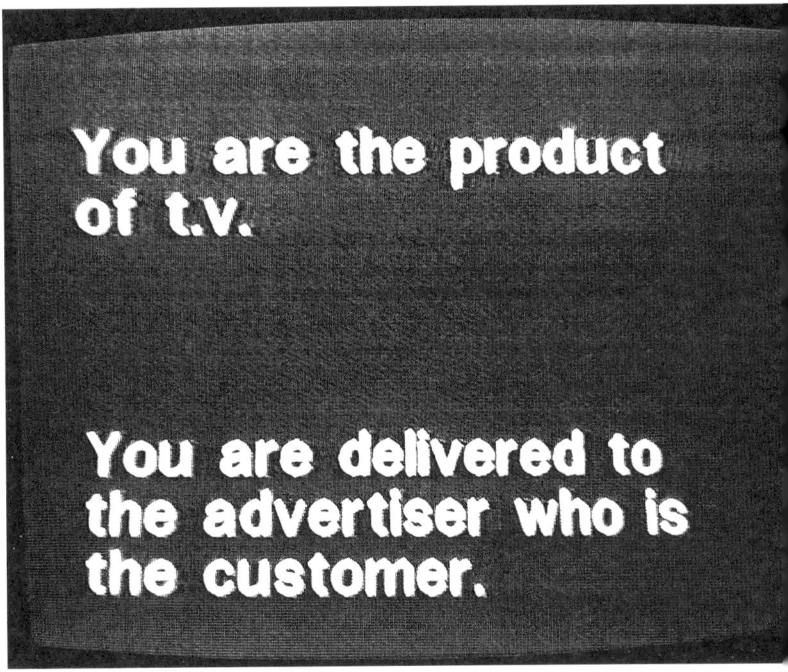

図27 リチャード・セラ《テレビは人々を送り届ける》、1973年。

いし形象として機能させることだからである（**図27**）。

　ポータパックは、こうした状況のなかに登場した。そしてそのテレビ的な効果によって、モダニズムの夢を打ち砕いたのである。前述のように、当時、美術において現象学的なるものに対する新たな関心が持ち上がっており、美術作家たちがビデオ作品を制作しはじめた初期の頃、彼らはビデオもまたそうした関心の延長上にあるもの、呼びかけの様式を技術的に更新したものと捉えて使っていた。ところが、ビデオはこれをはるかに逸脱したものだった。というのも、それがとる形式が、決定的にナルシシスティックだったからである――美術作家たちは、際限なく自分自身に語りかけることになるのである。[28] ビデオは事実上、テレビと同じもの、つまりどちらも放送のメディウムであり、空間的な連続性を引き裂いて遠く隔たった場所と場所のあいだで送受信を行うものだということに真っ先に気づいたのは、私の知るかぎりセラ一人だけだった。彼の《テレビは人々を送り届ける》（1973）――

表示されたメッセージが上方へスクロールしていく作品——と《囚人のジレンマ》(1974) は、ビデオのこの性質を焦点化した成果である。

　こうした空間分割機能と、即時の放送による同時性とがあるために、テレビの本質を閉回路の監視に用いることに位置づけようと考える論者もいる。しかし、テレビとビデオにはヒドラの頭のような多面性があり、それはどこまでも多様な形式、多様な空間、多様な時間性のなかに存在している。一つの審級によって、その全体に形式的な統一像を与えることができないように思うのだ。サミュエル・ウェーバーは、これをテレ[*29]ビの「本質的異種混淆性」と呼び、「おそらく、もっとも心に留めておくのが難しいのは、われわれがテレビと呼んでいるものですら、あるいはそれこそがもっともテレビ自体からかけ離れたものだ、ということだ」と付言している。[*30]

　モダニズムの理論は、こうした異種混淆性——これのために、モダニズムの理論では、ビデオをひとつの

メディウムとして説明できない——に打ち砕かれ、モ
ダニズム的な構造映画は、ビデオが実践として即時
性を獲得したことによって、敗北したと言っていい。
なぜなら、ビデオの技術的支持体は明確にひとつだ
が——ビデオ独自の装置——、ビデオは混沌とした言
語の領域、異種混淆の諸活動までを広く占拠したので
あり、これを整合的なものとして理論化したり、ひと
つの本質や全体を統べる核を持ったものとして捉える
ことができないからだ。[31] 鷲の原理と同じように、ビデ
オもまた、メディウム・スペシフィシティの終焉を宣
言したのである。テレビの時代、つまり放送の時代に
おいて、われわれはポストメディウムの条件下に生き
ているのだ。

3

　ここで、ごく簡潔に、第三の物語についても触れて

おきたい。それは、ポストメディウムの状況とポスト構造主義との共鳴関係についての物語だ。絵画の枠によって保証されていると考えられていた美術の自律性が、脱構築の概念によって「ジャンルの掟」として冷笑的に取り上げられ、批判に晒されることになったのは周知の通りだが、それが始まったのが、ほかならぬこの60年代終わりから70年代初頭のことだった。グラマトロジー論からパレルゴン論に至るまで、ジャック・デリダが次々と理論を打ち立て、外部から隔絶した内部や、外部に汚染されていない内部といった考え方が、妄想や形而上学的フィクションにすぎないということを示してみせたのだ。それはつまり、背景としての文脈と対置される作品の内部、あるいは、記憶や書かれた記号によって反復されるものと対置される瞬間瞬間の生きた経験の内実のことだが、いずれの場合にも、デリダが脱構築によって解体を試みたのは、「視覚は、視覚芸術独自のものである」と言うときのように自己同一性を表すと同時に、「絵画を抽象

化するとは、物語や彫刻的空間といった絵画独自のものではないすべての要素を取り除くことである」と言うときのように純正無雑をも表す、「独自性」の概念それ自体だった。純粋な内実ないし純粋な自己同一性として構成し得るものなどひとつもなく、その純粋性はつねにすでに外部に侵されており、むしろ、ほかならぬその外部が投入されることでしか構成され得ないという考え方が、それまで前提とされていた美的経験の自律性や、芸術のメディウムの純化の可能性、あるいは自明視されていた学問の領域区分を無効化するきっかけとなったのである。自己同一性とは自己差異化にほかならないということが明らかにされ、その結果、自己同一性の概念は自己差異化のなかに解消されたのだ。

　この脱構築の思想は、大学において、ミシェル・フーコーら他のポスト構造主義者たちの分析理論とともに、個々の専門分野に細分化した学部編成の終焉を証し立てる強力な論拠となり、学際性の強力な裏づけとなっ

ていった。そして、アカデミーの外部、美術界におい
て——ここではすでに、芸術の自律性も、芸術のメディ
ウムには独自ないし固有のものがあるという考え方も、
ともに批判に晒されていた——、この思想は、この時
点ですでに一定の蓄積のあった、過激なほど純粋性と
は無縁の活動——フルクサスやアンテルナシオナル・
シチュアシオニストの「転用（détournement）」（破壊的盗
用）——に、輝かしい理論的後ろ盾を与えたのだった。

　1960年代終わりから70年代初頭の時期、マルセル・
ブロータースは、これらすべてを探究する遍歴の騎士
のような存在だった。彼の「近代美術館」は、制度的「転
用」の途方もない成果であり、その点で、これもまた
メディウム・スペシフィシティを内側から徹底的に破
壊するものと見做すことができる。またその一方で、
「近代美術館」自体が、このプロジェクトの理論的根
拠として提示されているようにも見えるのだった。た
とえば、先に見たように、寄せ集めたモノに図番号を
貼り付けることには、キュレーターの作業をパロディ

化し、分類の意味自体を空虚化させるという効果がある。それゆえ、図番号の数々は、キャプションについてのメタ゠キャプションのまとまりとして機能するのであり、それらは理論に作用するものだと言える。ブロータース自身もこう言っている。「形象゠図の理論は、理論にイメージを与えることしかできない。しかしイメージの理論としての「Fig.」はどうか?」[*33]

　理論についてのブロータースの立場はポスト構造主義のそれに接近しつつある、と見ることもできる。しかしわれわれは、彼が理論そのものに対して、どこまでもアンビヴァレントな距離をとっていたことも忘れてはならない。『インテルフンクツィオーネン』のあの言述を思い出すべきなのだ。そこでは、いくつかの理論が「［自らの］生産原理の広告」にすぎないものへと還元された状態で晒されているのではなかったか。彼のこの非難の言述に従うならば、いかなる理論も、たとえそれが文化産業批判として発せられたものでも、最終的には、その文化産業自体を PR する形式になる

ほかない、ということになる。その伝でいくと、「転用」の首謀者は、自らの利のためにあらゆるものを盗用し書き換えることのできる資本主義それ自体だということが分かる。それゆえ、ブロータースはたしかに彼自身の徹底的にペシミスティックな「見解」の決定的な確証を生きているうちに見ることがなかったけれど、それでも、理論と文化産業が最終的には共謀することを予期していたし、「制度批判」の「批判」自体がその成功と支持とを国際市場の制度に委ねているために、ほかならぬその制度にそっくりそのまま吸収されるということも予期していた、と言えるのである。

4

ところが、物語はここで終わらない。なぜなら、「転用」の首謀者たる資本主義はあらゆるアヴァンギャルドの抵抗をその発展に取り込み自らの広告塔に変えて

しまうが、ブロータースは——『ねじの回転』を地で
いくような仕方で——、これとの奇妙な模倣関係のな
かにいるからだ。つまり、彼は自分自身をも「転用」
する方法を実行しているのである。

　彼の「美術館」の最後のセクション（現在は「名画美
術、20世紀陳列室——鷲部門」と改名）、つまりPRと広報
活動のセクションが設置された1972年のドクメンタ、
その期間中に発行されたプレスリリースにおいて、ブ
ロータース自身もそのことを認めている（図28〜図32）。
ここで彼は、フィクションの「美術館」という主題を
めぐってインタビュアーに返してきた「矛盾した応答」
について語っているのだ。彼一流の一貫性の欠如は、
彼自身による作品の解説も、作品自体の展開も、とも
に土台から破壊するものであるが、実際、ブロータ
スの最良の批評家というのは、そのつどこれに対応し
てきた者のことだ。たとえばベンジャミン・ブクロー
は「むしろ、ブロータースの仕事に一貫している矛盾
の感覚こそが、彼の思想、言述、そしてもちろん芸術

のなかでもっとも際立った特徴と言っていい」と書いている。[35]

　ある論文のなかでブクローは、これが一種の「ジョーク」、意地と皮肉を込めた二重否定の形式で言語を硬直させ、意識産業によって物象化された現代の発話自体を擬態するものだと捉えている。彼はそのことを説明するために、ブロータースの「私の修辞法」というテクストを引用するのだった。そこにはこう書いてある。「私、私は私と言う；私、私は私と言う。私、「マッセル・キング〔ムール貝の缶詰製造メーカー〕」。あなたはあなたと言う。私は同語反復している。私はそれを「缶詰にする」。私は社会化する。私ははっきりと明示する マニフエストリー・マニフエスト ……」云々。[36]

　ブロータースが自身の「悪意」と呼んだりもするこの矛盾した特徴には、ダグラス・クリンプも注目してきた。たとえばブロータースは、1960年代初頭に詩人であることを辞め、美術作家としての出発を決意したときのことをこう説明している。好きな作品を買い

図28、図29、図30、図31、図32
マルセル・ブロータース《近代美
術館、鷲部門、広告セクション》、
1972年。

集める資金がなかった当時の彼は、それを自分で作ることにした。美術作家になったのは蒐集家になれなかったからだというのである[37]。

　ブロータースが館長を務めるあのフィクションの「美術館」自体が、ある意味で、すべてこの蒐集という機能を果たすべく仕立て上げられていると言っていい。しかしまた、《私のコレクション》（1971）という作品を見ると、ブロータースが「美術館」の公的な蒐集と、個人の蒐集とを区別していたことも分かる。写真イメージを寄せ集めたこの作品は、そのなかにステファヌ・マラルメの写真があることによって、親密で内向的な独特のアウラをまとっているからだ。このようにブロータースには、公的な蒐集と私的な蒐集、あるいは制度的な蒐集と個人の蒐集の二つがある。クリンプはこのことに焦点を当てつつ、ヴァルター・ベンヤミンが 19 世紀の個人蒐集家を肯定的に論じたのと同じ意味で、ブロータースが奇妙なほどに個人蒐集家のほうを特権化していることにも言及している。ベン

ヤミンが論じた当時、19世紀の蒐集家はブルジョワ消費者の対立項として想定されていたが、それはまた、商品の消費パターンに従って動く現代の蒐集家の対立項としても見ることができる。消費者とは富の誇示のため、あるいは使い尽くすために、必死にモノを貯め込む人間のことである。対して真の蒐集家は、「モノを有用性の束縛から」解放するのだとベンヤミンは言う。さらに彼はこうつづける。蒐集行為の決定的なことは、「モノがその本来のすべての機能から切り離されて、それと同じようなモノと、考えうるかぎりもっとも緊密な関係性のなかに組み入れることである。これは使用の対極にある概念であり、完全性という注目すべきカテゴリーに分類されるものだ」[*38]。

　交換価値の基準にしたがってすべてのモノを平準化する等価原理、ブロータースが「美術館」の「映画セクション」で「Fig.」の番号を用いて批判していたはずのこの原理が、ここでは、個人蒐集の文脈で評価されている。しかしおそらくブロータースも、そのこと

には気づいている。なぜなら、《私のコレクション》において写真を指示している「Fig.」番号は、「真の」蒐集家の築き上げる新しい関係性を形成すべく機能していると見做せるからだ（図33〜図35）[39]。ベンヤミンが「魔圏」と呼ぶこれらの関係性は、それぞれのモノに揺曳している数々の記憶の場所を連鎖的に呼び覚ますことを可能にする。「蒐集は、実践的な想起の一形式であり、「近さ」のさまざまな世俗的な現れ方のなかでも、もっとも説得的なものである」と彼は言う[40]。

　対立する二つの形式の等価性──交換の等価性と「近さ」の等価性──を一つのモノのなかに同居させるこの構造こそが、資本主義の支配下にあるすべてのものを弁証法的に条件づけている。これによって、モノといわず技術工程といわず社会形態といわず、すべてが二重の価値──モノとその影、イメージとその残像といったポジティブな価値とネガティブな価値──を賦与されたものと理解される。これこそが対立項同士を結びつけ、商品においては、ベンヤミンのいう

　ポストメディウム時代の芸術

「ユートピア的要素とシニカルな要素とのアンビヴァレンス」を生み出すものなのだ。

　言うまでもなく、時を経て前景化してくるのはシニカルな要素のほうである。しかしベンヤミンの考えでは、どんな社会形態にも技術工程にも、それが誕生した当初にはそのユートピア的側面がたしかに存在していたのであり、さらにその技術が陳腐化したときにこそ、その側面が、消滅する星が最後に放つ閃光のように、解放される。なぜなら、商品生産の掟そのものである陳腐化作用が、時代遅れになったモノを有用性の支配から解放し、さらにその掟自体が空虚なものであることを暴き立てるからだ。

　ブロータースが時代遅れの形式に強烈な魅力を感じていたことは、多くの批評家たちの指摘するところだ。彼が典拠にしている知の体系は主に 19 世紀に焦点化されており、「美術館」のタイトルプレートに刻まれたアングルやクールベの名、彼の書籍や展示に登場するボードレールやマラルメの詩の一節、彼が社会空間

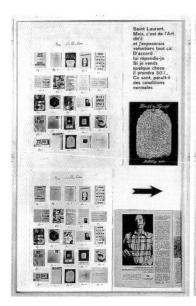

Saint Laurent.
Mais, c'est de l'Art.
dit-il
et j'exposerais
volontiers tout ça.
D'accord
lui réponds-je.
Si je vends
quelque chose
il prendra 30%.
Ce sont, paraît-il
des conditions
normales

f i g.0

《私のコレクション》に付されたマルセル・ブロータースのテクスト

《私のコレクション》は、二つのパネルで構成された作品で、パネルの両面が使われている。第一のパネルには、私が過去に開催してきた複数の展覧会で展示した資料と、それを撮影した写真が載った、71年のケルン・アートフェアのカタログの1ページが入っている。《私のコレクション》の第二のパネルには、ヨーロッパの詩人ステファヌ・マラルメが飾られている——私は、彼が現代美術の創始者だと考えている。「賽の一振りは断じて偶然を廃することはないだろう」。《私のコレクション》は、同語反復のシステムによって、展示空間を文脈化する作品である（それゆえ、この作品は、切手のコレクション以上の意味を持っている）。今回の展覧会カタログもいずれ、1971年以降に開催した私の展覧会の証拠として、将来、作品の一部に使われることになるだろう。

図33（左上）　マルセル・ブロータース《私のコレクション》、1971年、表面。
図34（左下）　マルセル・ブロータース《私のコレクション》、1971年、裏面。

Marcel Broodthaers

Ma Collection

... Où il est question d'un contrat.

Comme je figure dans cette collection qui est aussi un
choix parmi les catalogues d'art de ces dernières années,
elle ne constituerait pas un ready-made selon la tradition.

Mais, si l'on accepte que la représentation de mon art
apporte un changement de sens/non-sens, elle serait alors
un ready-made d'une forme nouvelle, un ready-made baroque.

Ce ready-made douteux équivaudrait donc à un objet d'art
douteux. Comment vendre le doute si celui-ci n'a pas de
qualité artistique certaine? D'autre part, je nxxxxxxxxx
n'ai pas le front de spéculer sur "Ma Collection", bien xxx
xxxxx qu'avec l'argent récolté je pourrais soulager la
misère qui sévit aux Indes ou encore me payer une révolution
d'avant-garde. Un contrat, un bon contrat me tirerait
xx d'affaires en conformant mon interêt aux usages établis.
Pour tous renseignements, s'adresser à ...

Moi, je désire percevoir un impôt (des droits xx d'auteur?)
sur les publications, s'il s'en trouve, qui reproduiraient
ma déclaration et les images de cette page du catalogue
de la foire de Cologne 71.

                              Ⓒ   M. Broodthaers

Toutefois, si quelque acheteur tenait encore à posséder
l'objet physique de "Ma Collection", le prix en serait alors
celui de ma ∅ conscience (Prix à débattre).

図 35 マルセル・ブロータースが《私のコレクション》のためにタイプで打ったテクスト。

マルセル・ブロータース

《私のコレクション》

……ここでは、ひとつの契約が問題となる。

このコレクションもまた、ここ数年のアートカタログから抜き出したものだが、そのなかに私自身が登場するという点において、これが伝統的なレディメイドを構成しているということにはならない。

しかし、私の作品の表象が「意味／無意味」の転換をもたらすものだということにひとたび気づけば、それは新たな形式のレディメイド、バロックのレディメイドになる。

このいかがわしいレディメイドは、それゆえ、いかがわしい美術作品と同等のものであるだろう。明らかな芸術的価値があるかどうかも分からないのに、どうやってこのいかがわしさを売り出せばいいのか？しかも《私のコレクション》に投資すれば、儲けた資金で、悲劇に見舞われているインド周辺諸国の救援をしたり、あるいはアヴァンギャルドの革命に資金援助すらできるかもしれないが、私にはそういった図々しい神経はない。ひとつの契約、良い契約が、私の関心と既存の慣習とをつなぎ合わせることで、トラブルを遠ざけてくれるだろう。

さらなる詳細については、……までご連絡を。

私自身は、ケルンの71年のアートフェアのこのカタログのページでの自分の言葉やイメージを複製したものによって、出版に関わる税（印税？）をいくらかでももらえるならば、個人的にはもらいたいと思っている。

しかしながら、まだ《私のコレクション》を物理的なモノとして所有したい方がいれば、価格は私の気持ち次第ということにしたい（価格交渉可）。

© マルセル・ブロータース

図36　マルセル・ブロータース《温室》、1974年。

の縮図として提示する「パノラマ」や「温室」などがそれにあたる（**図36**）。ベンジャミン・ブクローも言うように、実際「彼の作品の多くが19世紀のブルジョワ文化を想起させるもので、完全に時代に取り残されたそのアウラに触れると、誰もがそれを現代の美術とは無縁で、明らかに時代錯誤なものとして退けたくなる[43]」。

　しかしブロータースがこうしたものを使用するその仕方にも、ベンヤミンが「真の」蒐集家を想定したときに時代遅れの形式に賦与した力を見出すことができる。クリンプは、そのことをこそ指摘しているのだ。ベンヤミンは、さまざまな様式を生み出した19世紀の歴史の地層を探査することで、この力が解放されると期待していた。『パサージュ論』の草稿に、彼はこう書いている。「ここでわれわれは、「再蒐集」というかたちで、前世紀のキッチュを呼び覚ます目覚まし時計を作っているのだ[44]」。ベンヤミンの考古学が回顧的であるのは、陳腐化した場所からしか視野が開かれな

い、と彼が信じていたことに拠る。たとえば、彼はこうも述べている。「[真の] 蒐集家は、死に絶えてゆくときにはじめて理解される[45]」。

5

　ところで、ブロータースを惹きつける時代遅れの人物像は、真の蒐集家以外にもある。もうひとつは、リュミエール兄弟、バイオグラフ社時代のD・W・グリフィスやエッサネイ社時代のチャップリンといった映画創成期、制作が完全に職人的だった頃の映画監督のそれである。ブロータースは1967年に本格的にフィルム作品を撮りはじめ70年代初頭までこれをつづけることになるが、この時期彼は、自分の制作を正確にこの初期映画の鋳型に嵌め込んでいった。幾度となく身に降りかかる災厄を、何とかかんとか乗り切っていくサイレント映画の喜劇役者たち。ブロータースは彼ら

の身振り、とりわけバスター・キートンのそれを模倣
し、彼らが発する驚異的な雰囲気を見事に捉えていっ
た。さらに彼は、フィルムの継ぎ目に生じる露光ムラ
や画面のちらつきなど、当時の上映現場での原初的な
見え方まで再現するのだった。

　初期映画の方式に現れるこの種の自然発生的な現象
は、ハリウッドやヨーロッパの巨大スタジオによる映
画の産業化によって時代遅れのものにされるわけだが、
それこそが1960年代の終わりにアンソロジー・フィ
ルム・アーカイブスの文脈で構造映画が制作されるに
至るきっかけとなった。またこれがきっかけで構造
映画は、ベルギーの臨海都市クノック・ル・ズートで
開催される実験映画祭で毎回上映されるのだった――
このイベントに、ブロータースは2回出品している。
彼らアメリカやカナダの構造主義映画の作家たちが実
証してみせたのは、スタジオシステムに頼らず、独力
で、予算をかけず、廃棄されたフィルムの切れ端の山
からでも映画を制作できるということであり、間違い

なくそのことが、ブロータースの活動初期の実験的な
フィルム作品に力を与えた[46]。とはいえ、ブロータースは、
ハリウッドに対するこの挑戦を、アメリカの作家たち
の多くが解釈したように捉えていたわけではなかった。
彼らはそれを、革新的なアヴァンギャルド運動、ハリ
ウッドが製造する映画とは本質的に異なるモダニズム
の関心を単一の構造へと向かうベクトルへとまとめ上
げるもの、映画そのものの本性を明らかにする機会と
捉えていたが、ブロータースは、創成期の映画を包ん
でいた「幸福の約束」への回帰として、回顧的にこれ
を解釈していたのである（**図37、図38**）。

　このように構造映画のモダニズムとは異なる立場を
取るブロータースだが、なにも彼はメディウムとして
の映画という考え方に否定的だったわけではない。た
だ彼は、このメディウムを、初期映画において約束さ
れていた「開放性」という観点から捉えていたのだ。
イメージの網それ自体に織り込まれたこの「開放性」
とは、たとえば、視覚そのものが拡張することで生み

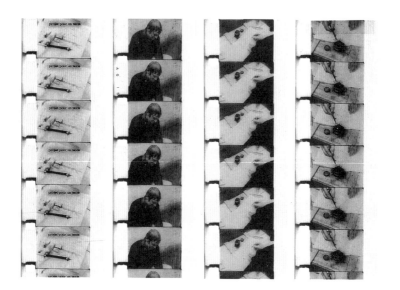

図 37　マルセル・ブロータース《雨》、1969 年。
図 38　マルセル・ブロータース《これはパイプではないかもしれない》、1969-71 年。

出される錯視の経験が明滅現象によって断続すること
である——それは存在と不在、直接性と隔絶の現象学
的な混合状態である。原初の映画メディウムが構造的
閉鎖性に抗うものであったというのは、この意味にお
いてであり、これによって構造映画の作家たちには見
えなかったこと——映画装置が提示しているのは、自
己差異化の条件を自らの固有性として持つひとつのメ
ディウムだということ——が、ブロータースには見え
たのだ。それは連動する複数の支持体と重層化した複
数の約束事からなる集合的なものなのである。構造映
画の作家たちは、映画「そのもの」を表す究極の提喩
を構築しようと奮闘した——カメラの移動のみに極限
まで還元され要約された運動（マイケル・スノウのズーム）、
あるいは、フィルムの明滅現象によって視覚の持続を
解剖することで標本化された映画的錯視（ポール・シャ
リッツの作品）。統合を表す他のあらゆる象徴形式がそ
うであるように、これもまた一元化に向かうものだと
言っていい。それに対してブロータースは、映画が差

異化を条件とすること——映画において、同時性と連続性が不可分な関係にあること、イメージの上に音や文字が重なり合うこと——を重視していたのである。

　かつてベンヤミンが鋭く見抜いたように、ある技術形式の誕生時に埋め込まれた約束事がもっとも効果的に解明されるのは、その技術形式が発展の最終段階に至り、陳腐化へと堕ちていくときである。そして、アメリカのインディペンデント映画の息の根を止めたテレビ的なポータパックこそ、映画の領域においてこの陳腐化を宣言するものなのだった。

6

　本書では、ポストメディウム的条件という文脈でマルセル・ブロータースの事例を追っているが、それは彼がこの条件のもつ「複合性」そのものであり、これを体現していることに拠る。というのも、インタ・メ

ディアの代表作家、芸術の終焉を宣言した作家と一般に考えられているブロータースも、その作品の裏地に救済的と呼ぶべきものを縫い込んでいるからだ。この救済の概念はもともとヴァルター・ベンヤミンのものだが——資本主義のもとで社会的役割を担わされたモノは、いまや物象化され腐敗しているが、救済の概念は、この社会的役割と対立する弁証法的な残像として提示されている——、それが蒐集家としてのブロータースの活動全域にわたって作用しているように思われるのだ。さらに、ベンヤミンが構築した写真分析の理論は、ブロータースの映画実践にも適応できると考えられる。

　こう言っても、ピンと来ないかもしれない。周知のように、ベンヤミンは、ブロータースと同様、ひとつのメディウムという考え方自体について脱構築的な立場をとっていたのだから。だからこそ彼は、写真がそれ独自の固有性を失効させる形式であるだけでなく——というのも写真は、視覚イメージの意味を、それに付されたキャプションに左右されるよう強いるか

らだ——、芸術すべてに固有性があるという考え方自体を破壊する道具でもあると捉えていたのではなかったか。これは、写真の量産品（マルチプル）としての地位、機械的複製の機能としての地位が、他の諸芸術の条件そのものを組み換えてしまうことに拠る。たとえば、そのひとつの例として、ベンヤミンは「段階が進めば、複製芸術作品は、再生産のためにデザインされるようになる」と説明している。そして、その結果として生じるのが、個々の芸術作品も個々の芸術のメディウムも、商品化の掟の餌食となることで、万遍なくすべてが等価の条件に組み込まれる、という事態である。これによって、作品の唯一性も——ベンヤミンはこれを作品の「アウラ」と呼んでいる——、そのメディウムの固有性も失われることになるのだ。

　しかし、ベンヤミンはこうした状況を手放しで歓迎していたわけでは決してなく、写真に対する彼の眼差しは、彼一流の回顧的思考の型、つまり、現行の技術形式が時代遅れになる段階に至ると、化石が発見され

るように、誕生当初にその技術自体に埋め込まれていた救済の要素が姿を現す、という彼の感覚に沿ったものでもあったのだ。写真の場合、このもうひとつの約束は、たとえば、ジュリア・マーガレット・キャメロンやヴィクトル・ユゴーやオクタヴィウス・ヒルなど芸術家や小説家たちが自分の友人を撮影するといった、まだ職業化も商業化もされていない最初期のアマチュア的性格を帯びた実践のなかに埋め込まれている。これはまた、当時、撮影に要した時間とも関係がある。撮影に際して、被写体である彼や彼女は、長時間同じ姿勢を保たねばならなかったが、その長い時間のなかには、眼差しを人間化できる可能性、つまり、機械によるモノ化の作用を回避できる可能性が秘められていたのだ。[*47]

　現行の技術的支持体がその誕生当初に埋め込んでいた救済の可能性についての、このベンヤミンの思想と同じものが、原初の映画形式を頼みにするブロータースの制作実践のなかにそこはかとなく表れている。そ

して私は、ほかならぬこの思想が、ブロータースの全仕事に影響していると考えてみたいと思うのだ。そうすることで、思いもよらぬ角度から表面全体に光を当てるように、これまで見えていなかったまったく新しい地形構造が浮かび上がってくるだろう。それについて詳述する紙幅がここにはないが、ひとつ述べておきたいのは、初期映画のモデルは、メディウムをめぐるブロータースの構想全体のほんの一部をなしているにすぎず、その壮大な構想はブロータースにとっての主のメディウムとでも言うべき形態──つまり、彼が自分の美術館を「ひとつのフィクション」として語るときのフィクションそのもの──を纏って実行に移されてきた、ということだ。というのも、彼にとってフィクションはつねに、隠されたものを明るみに出す要素を含み込むものであったように思うからだ。彼は、公的な一般の美術館と自分自身のそれとの違いについて、こう語っている。「フィクションによって、われわれは現実を把握できると同時に、現実が覆い隠している

ものをも把握できるのである」。[48]

　とはいえ、メディウムについて論じるここでの文脈において問題となるのは、現実がつく嘘を暴露する、フィクションのこの能力を単に利用することではなく、フィクション自体についての分析理論を構築することで、フィクションの経験自体に固有の構造を明らかにすることである。そして、この空間的「裏側」の構造ないし重層構造こそが、彼にとってフィクションの核をなす不在という条件のメタファーなのである。

　19世紀を通じて技術的支持体としての小説がフィクションを様式化していった過程に、ブロータースはとりわけ強い関心を寄せていた。そのことは、たとえば彼が「形象＝図の理論」シリーズに関して発した言葉に表れている──ここでは、彼は「Fig.」番号を付されたモノは「ある種の社会小説の挿画の性質を帯びる」[49]と捉えている。また小説に対する彼の関心は、彼自身が本の形式の作品を制作することで、実際に形を与えられてもいる。

そのうちのひとつ、《シャルル・ボードレール。私は線を動かす運動を憎む》（1973）は、小説が持つ開示の力について、彼固有の仕方で取り組んだものだと言える（図39〜図42）。というのも、ボードレールの一篇の詩を奇妙に拡張し、ページを繰って読み進める小説として本の形式に落とし込んだこの作品は、詩が完全なる即時性＝直接性の形式であるというロマン主義的な信条──主体と客体の差異の消失──を、自己欺瞞として暴き立てるだけでなく、主体が決して自分自身と同一化することのない現実の時間の宿命へと、この即自性＝直接性を開くべく仕立て上げられているからだ。この作品は、ボードレールの初期の詩篇「美」を下敷きにしている。その詩において、自らの完全無欠と同時遍在性が無限で完璧な全体性を象徴できると誇示する〔女神の〕影像の声が、主体に直接語りかけるが（「私は美しい　おお死すべき者どもよ！　石の夢のように」）、これを本の形式にしたブロータースの作品は、その外観によって、まさにこの同時性の概念そのもの

を空洞化させているのである。

　ブロータースは、1ページ目に「Fig.1」を振り、この詩をそっくりそのまま印刷する。さらに、そのなかから1行を選び、赤字で強調する。それは、自らの完璧な形姿を乱すいかなる時間の遅れをも峻拒するという彫像の主張を表す「Je hais le movement qui déplace les lignes（私は線を動かす運動を憎む）」の1行である。しかしブロータースは、これにつづく数ページを通して、まさにこの移行ないし置換の方へと向かっていく。それぞれの語に分解され、各語が1ページずつ下部に充てられることで、この1行そのものが重層化し、ページを繰るごとに紙の束のなかに消失するようにされているのだ。

　もちろん、ボードレールの詩篇をこのように組み直したところで、ブロータースはマラルメの『賽の一振り』という先例をただ模倣したにすぎない、と言ってしまうこともできる。『賽の一振り』でも同様に、タイトル（「Un coup de dés jamais n'abolira le hazard（賽の一振

CHARLES BAUDELAIRE

Je hais le mouvement qui déplace les lignes

Edition Hossmann Hamburg
1973

図39（上）　マルセル・ブロータース《シャルル・ボードレール。私は線を動かす運動を憎む》、1973年、表紙。
図40、図41、図42（右上より）　マルセル・ブロータース《シャルル・ボードレール。私は線を動かす運動を憎む》、1973年、頁1、頁2、頁3、頁4、頁5。

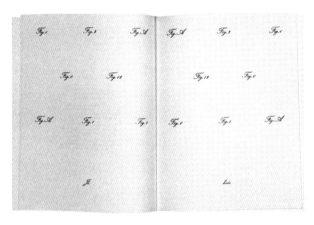

(Fig. 1)

LA BEAUTÉ

Je suis belle, ô mortels! comme un rêve de pierre,
Et mon sein, où chacun s'est meurtri tour à tour,
Est fait pour inspirer au poète un amour
Éternel et muet ainsi que la matière.

Je trône dans l'azur comme un sphinx incompris;
J'unis un cœur de neige à la blancheur des cygnes;
Je hais le mouvement qui déplace les lignes,
Et jamais je ne pleure et jamais je ne ris.

Les poètes, devant mes grandes attitudes,
Que j'ai l'air d'emprunter aux plus fiers monuments,
Consumeront leurs jours en d'austères études;

Car j'ai, pour fasciner ces dociles amants,
De purs miroirs qui font toutes choses plus belles:
Mes yeux, mes larges yeux aux clartés éternelles!

りは断じて偶然を廃すことはないだろう)」)の語のそれぞれが、いくつかのページの下部に、拡大された状態で配されている。またこの詩篇のテクスト自体も、すべてのページに行が不規則に分散し、ときには本のノドを跨いでつづくことさえあるなど、詩行が徹底的に空間的なものとして、ひとつのイメージのごときものに変換されている（**図43、図44**）。さらに、ブロータースの《ボードレール》の各ページ上部に散らばっている「Fig.」番号は、書字の連続的な条件を視覚の一挙性の領域へと変換する『賽の一振り』と同等の効果を持つものであり、これによっても両者が類似しているという主張は裏づけられる。現にブロータース自身も、『賽の一振り』のこの仕組みについてたびたび言及してきた。「マラルメは、現代美術の原点である」と彼は説明したものだった。「彼は、はからずも現代の空間を発明したのだ」[50]。

　ところが、《ボードレール》の本がもたらす効果は、マラルメの戦略についてのブロータース自身のこの解

釈とは逆方向に作用する。まず第一に、ブロータース
の「Fig.」の表記の条件そのものが、語が不完全な断
片の状態にあり、イメージとして十全には（自己）現
前できないことを主張している——「しかしイメージ
の理論としての「Fig.」はどうか？」という彼の問い
が、「Fig.」によってイメージが理論化され、フィクショ
ンという自己差異化と置換が生じる状態へと組み入れ
られることを示唆していたように。この意味で「Fig.」
は、カリグラムの地位にあるマラルメの詩篇のページ
を模倣しているというよりは、むしろこれに疑問符を
投げかけるものだと言える。そして第二に、《ボード
レール》のなかで作動している連続化の仕組みは、マ
ラルメの詩のなかで作用している仕組みと対立してい
る。『賽の一振り』において、タイトルが数ページ
にわたって、下部に沿って緩慢に展開していくことで
もたらされる効果は、たとえば、われわれがドビュッ
シーの楽曲のなかに聴きとることのできる持続低音や
掛留音のそれに近い。それらは、通時的な音の流れが、

MARCEL BROODTHAERS

UN COUP DE DÉS
JAMAIS N'ABOLIRA
LE HASARD

IMAGE

GALERIE WIDE WHITE SPACE ANTWERPEN
GALERIE MICHAEL WERNER KÖLN

図43（左）　マルセル・ブロータース《賽の一振り
は断じて偶然を廃すことはないだろう。イメージ》、
1969年、表紙。
図44（上）　マルセル・ブロータース《賽の一振り
は断じて偶然を廃すことはないだろう。イメージ》、
1969年、32頁。ブロータースによるマラルメの詩
の「変奏」。詩行を判読不能にすることで、本のペー
ジがイメージをまとめたものに変換させられている。

あたかも単一の和音の支配する共時空間に変化したような錯覚を引き起こし、和声進行に緊張をもたらすものだ。《ボードレール》において、われわれが強いられる拡張の経験は、これとはまた別物である。ブロータースが同年に構想した映画《北海航行》でも、この効果が採用されており、これを見るとそのことがより明確に見て取れる。この作品においても、イメージの形態<ruby>ゲシュタルト</ruby>が、物語化されているである（本書104-105頁参照）。

　　映画の旅を「本」の形式に落とし込んだこの作品は、完全に静止したいくつかのショットから構成されていて（それぞれが、およそ10秒間ずつ映し出される）、ここでは「PAGE1」から「PAGE15」までのページ番号が振られた中間字幕と、帆船の静止イメージとが交互に現れる。それは、海原にぽつりと浮かぶ一隻のヨットを遠距離から捉えた1枚の写真で始まり、1ページから4ページまで進んでいくあいだに、それが都合4回映し出される。次に、帆走中の漁船団を描いた19世紀の絵画が現れ、後につづく「ページ」が繰られていく

ごとに、そのさまざまな細部が映し出されていく（図45）。

　冒頭で、帆船とロングボートが浮かぶ海景から、カンヴァスの織目を捉えた極端なクロースアップへの飛躍が起きる。次の「ページ」に移ると、抽象絵画に見えるほどの近さから捉えたメインセイルの帆布の二つの膨らみが映し出される。さらに今度は、次の「ページ」の表示の後で、ある種の先鋭的なモノクローム絵画のように整然と編み込まれたカンヴァスの肌理が現れる。こうした進行からは、この「本」によって呼び出される物語が、美術史のなかの一エピソードだということが連想される。それは、モダニズムが、それまで物語を視覚的に伝えるために必要だった奥行きのある絵画空間を次第に絵画表面へと平板化し、絵画をもはや己以外に自らの参照規準を持たない状態にしたことによって、世界の「リアリティ」が、絵画を成立させる物理的与件のリアリティに取って代わられた、というものだ。その顚末が、連続する3ページに圧縮さ

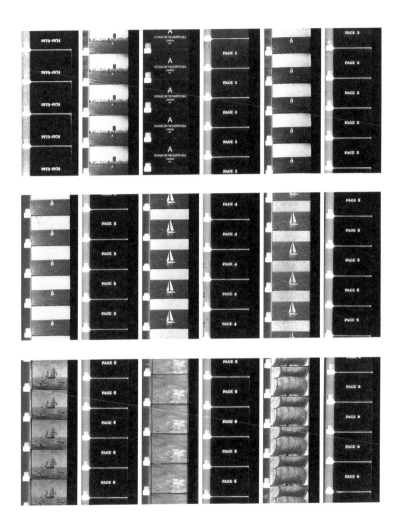

図 45 マルセル・ブロータース《北海航行》、1973-4 年。

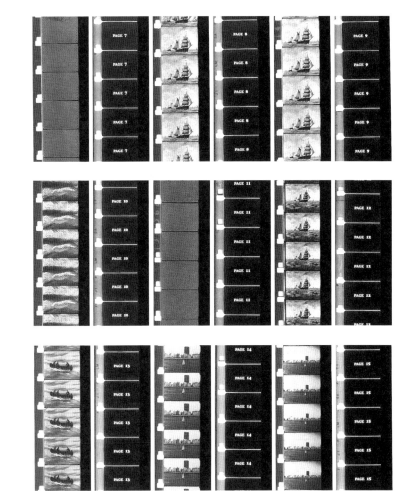

れているのである[52]。ところが、次の「ページ」に移ると、モノクローム絵画の細部は後退し、ふたたび帆船の浮かぶ海景が現れる。この一連の動きのなかで、ブロータースがモダニズムの発展の記述の順序を掻き回しているかのように見えるのだ。

　モダニズムの物語の代わりにわれわれに提出されるのは、重層化した複数の表面をくぐり抜ける経験である。そのなかで、本という積み重なったページの束と、絵画の加算的条件——どれだけ切り詰められ、どれだけモノ化したモノクロームのカンヴァスでも、その基礎となる支持体に絵具を載せないかぎり、絵画として成立しない——との類似性が導出される。実際、本の「ページ」が展開していくにつれて、この旅が作品の諸起源を求めるものであることが明らかになっていく。その「起源」は、作品が映し出すカンヴァス平面の物質性（モダニズム的な「起源」）と、観者の欲望のインデックスとしてこの不透明な表面に投影されたイメージとのちょうど中間に宙吊りにされている。不透明なカン

ヴァスに向き合うと、観者は、鑑賞体験のあらゆる契
機を、見ているモノを超越した何か（「起源」としてのリ
アリティ）へと開きたいという創造的な欲望に駆られ
るのである。そして、こうした欲望を取り込みつつ機
動させるフィクションは、まさにこの欲望の不完全性
をわれわれに認識させるものなのだ。それは、継起を
静止へ、部分の連なりにすぎないものをひとつの全体
へ変換しようとする、不可能な試みである。

　モダニズムの物語では、その帰結としてモノクロー
ム絵画が「勝利」したことになっている。自らの諸起
源と完全に重なり合うひとつの物体としてのモノク
ローム絵画が、この統合化——絵画表面と支持体との
不可分な結合体、モノ以外何も残っていない、零度に
還元された絵画メディウム——を成し遂げた、と信じ
られているのである。ブロータースがフィクションと
いう手段を用い、ある種の重層構造を仕掛け、諸メ
ディウムに備わっている自己＝差異化の条件を直接的
に、あるいは寓意的に表現することで伝えているのは、

この物語が不可能な仮説であるということにほかならない。

　ブロータースは「形象＝図の理論」を説明する際に、小説について言及している。そのとき彼は、この作品を「図解」するパイプや鏡といったありふれたモノによって獲得される複合性について語るのだった。「最新テクノロジー——ミニマルアート、ロボット、コンピュータ——を用いていたら、私はこの種の複合性を決して獲得できなかっただろう。それらが持つ単一性は、人の精神をモノマニアへと追いやるからだ」[53]と彼は述べている。

　こうした発言には、メディウムについてのこの考察のなかで私が追究してきた議論の核となる二つが折り込まれている。その第一は、諸メディウムの固有性が単純にその支持体の物質性に回収されるものでは断じてないということ。モダニズム的な意味でのメディウムでさえ、差異を含み自己差異化していくものとして、つまり、重層的に折り重なった複数の約束事として捉

えられねばならない。ブロータースが言うように、「単一性は、人の精神をモノマニアへと追いやる」のである。その第二は、テクノロジー──「ロボット、コンピュータ」──による、より高次の体制が開始されつつあるまさにそのときに、それ以前の諸技術が時代遅れになることによって、われわれは、それらが支えていたメディウムの内的複合性を捉えることができるということ。ブロータースの手にかかると、フィクションそのものが、こうした差異を含んだ固有性を持つメディウム、形式となるのである。

7

広告、コミュニケーションメディア、サイバースペースを通じて、文化的空間が全面的なイメージの飽和状態に至った世界。フレドリック・ジェイムソンは、ポストモダニティをそう特徴づけている。このように社

会生活と日常生活のすみずみにまでイメージが完全に浸透している状態とは、独立したひとつの作品という考え方を不確かなものにするばかりか、美の自律性という概念そのものを空洞化させるほどまでに膨張した文化のなかで、いまや美的経験がどこにでも転がっているということを意味する、と彼は述べている。こうした状況においては、「いまや、あらゆるものがことごとく、視覚的なものや文化的に親しみの持てるものへと変換され［この状況についての批判ですらすべて］、美的関心は、ありふれた日常の感覚へと移し替えられている」。これこそが、彼のいう「ポストモダン的感性による新たな生活」であり、そこでは、ショッピングをはじめ、あらゆるかたちの娯楽が美的なるものとして経験され、それゆえ、正統な美の領域と呼ばれてきたものの一切が、時代遅れになるのである。[54]

このようにポストモダン的感性が支配する状況のなかで、芸術もまたこれを模倣するかたちで美的なるものを一般社会の領域へと浸出させるものとなった、と

いうひとつの概略を記述することもできる。もっとも、こうした状況においても、その戦略に乗らないと決めた現代美術の作家もいないわけではない。つまり彼らは、イメージのグローバル化と共謀して資本に奉仕する、インスタレーション・アートやインターメディア・アートの世界的な流行には関与しないと決めたのである。彼らはまた、伝統的なメディウム――絵画、彫刻――の勢いを失った形式へと後退することもできないと考え、これにも抵抗した。その代わり、彼らジェームズ・コールマンやウィリアム・ケントリッジといった作家たちは、差異を含んだ固有性という概念を取り入れ、それを備えたメディウムを自分たちが今まさに再発明し、再び明確化しなければならないと考えたのだった。[55] 私が本書で紹介してきたマルセル・ブロータースという実例は、彼らがこうした課題に取り組む際に不可欠な根本原理でありつづけている。

注

*01 Stanley Cavell, *The World Viewed* (Cambridge, Mass.: Harvard University Press, 1971), pp. 101-118.〔『目に映る世界——映画の存在論についての考察』石原陽一郎訳、法政大学出版局、2012 年、154-163 頁〕

*02 これについては、以下を参照。Stanley Cavell, "Music Discomposed," in *Must We Mean What We Say?* (New York: Scribner's, 1969), pp. 199-202.

*03 この問題は、ここで私がしたように、グリーンバーグの名を「グリーンバーグ」と括弧に入れて注記する必要があるという点において、より複雑に込み入っている。「メディウム」という語の彼独自の使い方について、奇妙な誤読が付きまとってきた（し、いまでも付きまとっている）。そうした誤読のひとつについては、この後触れている（本書 050-057 頁参照）。

*04 本書全篇を通じて、私は「メディウム（medium）」の複数形として「mediums」を用いることにする。複数形として「メディア（media）」を使うのが通例だが、「メディア」はコミュニケーションのテクノロジーを表す語であり、それとの混合を避けたいからである。コミュニケーションのテクノロジーを表したい場合には「メディア」を用いる。

*05　Benjamin H. D. Buchloh, "Introductory Note [to the special Broodthaers issue]," *October*, no. 42 (Fall 1987), p. 5. 70 年代初頭に展開されたブロータースの活動は、批評の俎上にのぼるものとして受容されたが、ベンジャミン・ブクローがその中心的役割を担っていたことは、本書のなかで上記エッセイの多数の箇所を幾度となく引用したことや、『インテルフンクツィオーネン』誌の編集者、発行者としての育成的な活動についてもたびたび言及したことからも明らかである。ここでは、この章のエピグラフとして引いたこの言述に倣って、ベンジャミン・ブクローの寛大さに対する私からの感謝の言述を記しておきたい。彼からは、本書が草稿の段階から進んで目を通してもらい、意見をもらった。賛同、異論を問わず、彼との忌憚のないやり取りは、いつも非常に刺激的かつ啓蒙的なものであった。

*06　『ステュディオ・インターナショナル』188 号 (1974 年 10 月)。裏表紙もブロータースが制作している。表のカバーと同様、これもまた円盤型の子供用「視覚教材」(「Z」= zebra（ゼブラ）、「H」= horse（馬）、「W」= watch（時計）、とそれぞれの円盤に対応する絵が描かれている) と文字だけが書かれた円盤とが組み合わされたものだ。これら円盤からなるグリッドの下の地に、ブロータースはペンでこう書きつけている。「éléments du discours ne peuvent servir l'art une faute d'orthographe cachée vaut un fromage. 〔言説の要素は芸術に奉仕しえず、隠れたスペルミスは一片のチーズに値する〕」。この文は、彼自身の仕事の二つの側面を表している。一つは、これがラ・フォンテーヌの「キツネとカラスの寓話」の変奏になっているということ。この話は、ブロータースの展示とフィルム作品《カラスとキツネ》の基になっている。もう一つは、これが「ショート

サーキット」展（1967）の告知チラシでの誤植を仄めかしていること。このチラシを制作する際、植字工が「BROODTHAERS」の「H」を落としたために、ブロータースがこれを手書きで書き加えた。その結果、このミスのおかげで、これがサイン入りの作品、市場性のある売れるモノ、「fromage（チーズ）」──お金を意味するフランス語のスラング──に変わったのだった。

*07　ベンジャミン・ブクローの以下の重要なエッセイによって、私は初めてこの表紙について知り、これが語に特殊な操作を加えていることに興味を惹かれたのだった。"Marcel Broodthaers: Allegories of the Avant-Garde," *Artforum,* vol. XVIII (May 1980), p. 57.

*08　固有から一般へのこの変換を紹介・理論化しているものとして、以下を参照。Thierry de Duve, *Kant After Duchamp* (Cambridge, Mass.: MIT Press, 1996). とりわけ、以下の章。"The Monochrome and the Blank Canvas."

*09　ブロータース自身による解説は、以下に登場する。*Museum,* the two-volume catalogue of the exhibition "Der Adler vom Oligozän bis Heute" (Düsseldorf, Städtische Kunsthalle, 1972), vol. 2, p. 19. 同書には、明らかにユルゲン・ハルテンに宛てて書かれたと思われるテクストがあり、その草稿においてブロータースは、「理論」についてのコンセプチュアル・アートの作家たちの主張と、芸術を明晰な言述──それは芸術の「定義」を生み出すものだ──へと切り詰めようとする彼らの野心とをもじってみせた。

理論
時代の［現代の？］美術館
私は鷲

汝は鷲

彼は鷲

我々は鷲

あなたは鷲

それは残酷にして怠惰

知的にして衝動的

獅子のように、慈悲のように、鼠のように

*10　『インテルフンクツィオーネン』11 号 (1974 年、秋号) の表紙。この前衛的な雑誌の編集者であり発行者であるベンジャミン・ブクローは、ブロータースに表紙と、さらにもう一点、この号のための作品を依頼した。それは「降霊術」というタイトルの、短編、ニュース放送、長編からなる架空の映画のシナリオを、盗用した写真によって説明したものである。「降霊術」は、対になる椰子の木の写真に挟まれていて、その写真の下に書かれた「植物のレイシズム」というキャプションが、ブロータースの同名の近刊書の告知にもなっている。ブロータースと共同で、「ある見解」という表紙の文章を英語に翻訳したのもブクローである。繰り返しになるが、あまり知られていないこの作品については、ブクローの以下のテクストから示唆を得た。"Broodthaers: Allegories of the Avant-Garde," op. cit., pp. 57-58.

*11　ブロータースが鷲に込めた意味の射程は広く、そこには明らかにこのシンボルが持つ政治的側面、とりわけブロータースが置かれている文脈では、ファシズムがこれを活用し浸透させた意味が含まれている。ブロータースは、コンセプチュアル・アート、つまり戦後美術史上の転換となる出来事を批判するためにも鷲を用いてお

り、その部分だけを切り離すために、私は「驚の原理」という表現
を使うことにする。

*12 アンソロジー・フィルム・アーカイブスを論じたものとして、
以 下 を 参 照。Annette Michelson, "Gnosis and Iconoclasm: A Case
Study of Cinephilia," *October*, no. 83 (Winter 1998), pp. 3-18.

*13 以下を参照。J.-L. Baudry, "The Apparatus," *Camera Obscura*, no. 1
(1976); and Teresa de Lauretis and Stephen Heath (eds), *The Cinematic
Apparatus* (London: Macmillan, 1980).〔「装置──現実感へのメタ心
理学的アプローチ」木村建哉訳、岩本憲児・武田潔・斉藤綾子編『「新」
映画理論集成 2 ──知覚・表象・読解』フィルムアート社、1999 年、
104-128 頁〕

*14 Maurice Merleau-Ponty, *Phenomenology of Perception*, trans. Colin
Smith (London: Routledge and Kegan Paul, 1962).〔『知覚の現象学』
竹内芳郎・小木貞孝訳、みすず書房、1967 年〕。「身体」と題され
た章では、身体の「背面」と「前面」との相互連結性が、こうした
諸関係を持つ「意味」のシステムとして論じられている。これらは、
身体という空間によって前客観的に獲得されるため、意味そのもの
の根源的なモデルとして機能する。諸事物を関係づけるあらゆる経
験の場としての身体が、『知覚の現象学』で探究される第一の「世界」
である。

*15 アネット・マイケルソンは、こう書いている。「カメラがじわり
じわりと前方へ移動しつづけ、画角が狭まっていくのと比例して緊
張感が高まるにつれ、われわれは、いくらかの驚きをもって、この
画角の限界が物語の輪郭を画していることに気づくことになる。認
知機能に刺激を与えつつ、解決に向かって引き延ばされていく時
間によって、物語の形式に生命が吹き込まれるのだ。決着を待ちな

がら、われわれは解決まで「宙吊り」にされる（……）。スノウは、映画形式の核として、予期の感覚を再導入することで、本質的に「時間に関わる概念」として空間を再定義するのだ。モンタージュにはメタファーを生み出す性質があるが、スノウはそれを取り除くことで、物語形式そのものの大きなメタファーを創り出しているのである」("Toward Snow: Part I," *Artforum*, vol. IX (June 1971), pp. 31-32)。

*16 セラは、自分自身にとってのマイケル・スノウの作品の重要性について語っている。以下を参照。Annette Michelson, Richard Serra, and Clara Weyergraf, "The Films of Richard Serra: An Interview," *October*, no. 10 (Fall 1979).

*17 クレメント・グリーンバーグは、1940 年代後半の一連のエッセイのなかで、イーゼル絵画の終焉と、イーゼル絵画を「超えた」絵画制作が開始されたという、この考えを明確に述べている。以下を参照。"The Crisis of the Easel Picture" (April 1948) and "The Role of Nature in Modern Painting" (1949), in *Clement Greenberg, The Collected Essays and Criticism*, vol. 2, ed. John O'Brian (Chicago and London: University of Chicago Press, 1986), pp. 224 and 273-274. また、以下も参照。"American-Type Painting" (1955), in *Clement Greenberg*, op. cit., vol. 3, p. 235.〔「イーゼル画の危機」藤枝晃雄訳、「「アメリカ型」絵画」大島徹也訳、『グリーンバーグ批評選集』藤枝晃雄編訳、勁草書房、2005 年、77-81 頁、111-140 頁〕

*18 ひとつの主体と彼の世界とを結びつける志向の緒線を分析するなかで、サルトルは、視点の互恵関係──諸事物に対する私の視点としての私の身体と、それら事物から私の身体へと向けられる視線とを結びつけるベクトル──について語っている。さらに彼は、こ

れらの働きが世界を我有化する形式であることを、遊びを例にとって説明している。彼は、こう書いている。「スポーツは、世界の環境を自由に変化させる。そのことによってスポーツは芸術のように創造的なものとなる。たとえば、雪原があるとして、それを見るとはすでに、それを所有することである。この雪原は、純粋な外面性、徹底的な空間性を表している。その未分化、その単調さ、その白さが、実体の絶対的な裸をあらわにする。それは単に即自でしかない即自である（……）。そのとき私が欲するのは、まさにこの即自が、まったくそれ自身の内にとどまりながら、私自身が外へ放射されてもいる、という状態である。その目標は、「この雪から何かをつくること」——質料が形相のためにのみ存在するように見えるほど深く質料に密着しているひとつの形相を、この雪に押しつけることである（……）。スキーをするとは、技術や速度を楽しむ遊びである以上に、この雪原を所有する方法である。私はいま、この雪原を何ものかたらしめている。私の行動そのものによって、私はこの雪原の質料と意味を変化させているのだ」(Jean-Paul Sartre, *Being and Nothingness*, trans. Hazel E. Barnes [New York: Washington Square Press, 1956], pp. 742-743.〔『存在と無Ⅲ』松浪信三郎訳、ちくま学芸文庫、2008年、380-382頁〕)。意味に満ちたものとしての世界へと主体を参加させる、この組織化と接続の行為の概念と「現象学的ベクトル」の概念は、密接に関わり合っている。

*19 この問題について、私は以下の一連のエッセイで論じている。"'... And Then Turn Away?' An Essay on James Coleman," *October*, no. 81 (Summer 1997), pp. 5-33; "Reinventing the Medium," *Critical Inquiry*, no. 25 (Winter 1999), pp. 289-305.〔「メディウムの再発明」星野太訳、『表象08』月曜社、2014年、46-67頁〕; "The Crisis of the Easel Picture," forthcoming in the second volume of the Jackson Pollock catalogue, The Museum of Modern Art, New York.

*20　これについての分析は、以下の拙論の最後、セラについて論じた箇所で行っている。"The Crisis of the Easel Picture," op. cit.

*21　以下を参照。"Louis and Noland" (1960) and "After Abstract Expressionism" (1962), in *Clement Greenberg*, op. cit., vol. 4, pp. 97 and 131.〔「抽象表現主義以降」川田都樹子訳、『グリーンバーグ批評選集』、141-163 頁〕

*22　"Modernist Painting," ibid., p. 90.〔「モダニズムの絵画」藤枝晃雄訳、『グリーンバーグ批評選集』、70 頁〕

*23　"Louis and Noland," ibid., p. 97.

*24　ミニマリズムは、モダニズムの「平面性」を、ある種のレディメイドとも言えるモノクローム・カンヴァスへと変換したが、それに対するグリーンバーグの反応について、ティエリ・ド・デューヴは、グリーンバーグがモダニズムから離れて形式主義を受け入れた、と解釈している。形式主義とはつまり、趣味判断の陶冶のみに限定された美的関心のことである（"The Monochrome and the Blank Canvas," op. cit., p. 222）。もちろんこれは、1962 年以降にグリーンバーグが書いたもののなかでの彼自身の自己認識とも一致する（"Complaints of an Art Critic," *Artforum* [October 1967]）。とはいえド・デューヴのこの解釈には、グリーンバーグが視覚性の範囲を、芸術実践にとっての支持体、ひいては──彼自身はけっしてこう言わないが──メディウムにまで広げて捉えていた、という視点が欠けている。つまりグリーンバーグ独自の「モダニズム」は、彼自身が述べるものよりも、ジャッドとその仲間の芸術家たちがそう解釈したかったものよりも、さらにはド・デューヴが理解したものより

も、ずっと複雑だということである。現象学的ベクトルとしての視覚性、という論点については、以下の拙論でさらに展開している。"The Crisis of the Easel Picture," op. cit.

*25 こうしたフィールドの回転のひとつについて、フリードは、これが「新たな約束事、新たな芸術を生み出すことを可能にするほどに十分な影響力のあるものだ」と書いている (Michael Fried, "Shape as Form," in *Art and Objecthood* [Chicago and London: Chicago University Press, 1998], p. 88)。

*26 Leo Steinberg, *Other Criteria* (New York: Oxford University Press, 1972), p. 79. 〔「他の批評基準」林卓行訳、『美術手帖——特集 ドイツ写真 ベッヒャー以降』1997 年 3 月号、美術出版社、177 頁〕

*27 カヴェルはオートマティズムという語を、芸術実践の支持体としてのメディウムという意味で用いているが、そうした語の使用法が、この新たなメディウム概念を練り上げるための端緒を開いた。その理論に従えば、たとえば、ある「オートマティズム」とそれが展開していくことで生じる形式との関係は、性質上、必然的に連続性を持ったものであり、連作を構成するそれぞれの作品が、メディウム自体の新たな事例として捉えられる (*The World Viewed*, op. cit., pp. 103-104). 〔『眼に映る世界』156-157 頁〕。

*28 以下の拙論を参照。"Video and Narcissism," *October*, no. 1 (Spring 1976). 〔「ヴィデオ——ナルシシズムの美学」石岡良治訳、三輪健仁・蔵屋美香編『ヴィデオを待ちながら——映像、60 年代から今日へ』東京国立近代美術館、2009 年、184-205 頁〕

*29 スタンリー・カヴェルは、「同時に出来事を受信する流れ」としてのテレビの物質的基盤と、テレビに固有の受信の形式——彼はこれを「モニタリング」と呼んでいる——のなかに、この

統一性を見出そうとしている（以下を参照。Stanley Cavell, "The Fact of Television," in *Video Culture: A Critical Investigation*, ed. John Hanhardt (Rochester, N.Y.: Visual Studies Workshop, 1986)）。　テレビあるいはビデオの固有性を主張する他の試みについては、以下で論じられている。Jane Feuer, "The Concept of Live Television: Ontology as Ideology," in *Regarding Television: Critical Approaches*, ed. E. Ann Kaplan (Frederick, Md.: University Publications of America, 1983); Mary Ann Doane, "Information, Crisis, and Catastrophe," in *Logics of Television: Essays in Cultural Criticism*, ed. Patricia Mellencamp (Bloomington: Indiana University Press, 1990); Fredric Jameson, "Video," *Postmodernism: Or the Cultural Logic of Late Capitalism* (Durham, N.C.: Duke University Press, 1991).

*30　Samuel Weber, "Television, Set, and Screen," in *Mass Mediauras: Form, Technics, Media* (Pasadena, Calif.: Stanford University Press, 1996), p. 110.

*31　フレドリック・ジェイムソンは『カルチュラル・ターン』所収の「ポストモダニティにおけるイメージの変容」において、モダニズムによる理論化に抗するこのビデオの性質について言及している。以下を参照。"Trans-formations of the Image in Postmodernity," in *The Cultural Turn: Selected Writings on the Postmodern, 1983-1998* (London: Verso, 1998).〔『カルチュラル・ターン』合庭惇・河野真太郎・秦邦生訳、作品社、2006年〕

*32　以下を参照。Jacques Derrida, "The Law of Genre," *Glyph*, no. 7 (1980).〔「ジャンルの掟」『境域』若森栄樹訳、書肆心水、2010年、361-416頁〕

*33　1973-4年制作のある無題の作品に記されたこの文章は、それ自

体複雑な言述である。第一文は、理論それ自体が商品化作用に侵食
されるものであることと、物理的対象を言語に置き換えてもそうし
た状況から芸術を守ることにはならないということとを示す、驚の
原理の二重記述へと繋がっていくものだ。ところが第二文は、それ
と比べるとネガティブな意味合いが少なく、救済の可能性へと開か
れている。この可能性に向けて、「Fig.」は、新しいタイプのイメー
ジとして――完全には言語にも図像にもならない断片として――、
指示するだろう。後述する《私のコレクション》という作品や《シャ
ルル・ボードレール。私は線を動かす運動を憎む》という本におけ
る「Fig.」の機能によって、そのことが示されている。ブローター
スの「形象＝図の理論」と彼の作品のなかでのこの概念の寓意的な
地位について示唆をくれた、ベンジャミン・ブクローに心から感謝
している。

*34 「近代美術館、驚部門、現代美術と広告のセクション」のプレ
スリリース（カッセル、1972 年）。以下に再録。*Marcel Broodthaers*,
exh. cat. (Paris: Jeu de Paume, 1991), p. 227.

*35 Benjamin H. D. Buchloh, "Marcel Broodthaers: Allegories of the
Avant-Garde," op. cit., p. 52.

*36 Ibid., p. 54.

*37 ベンヤミンが想定した蒐集家の人物像とブロータースとの関係を
めぐるこの議論については、以下を参照。Douglas Crimp, "This Is Not
a Museum of Art," in *Marcel Broodthaers*, exh. cat. (Minneapolis: Walker
Art Center, 1989), pp. 71-91. 「制作者」になるに至った経緯につい
てのブロータース自身の説明については、以下の彼のエッセイから
引いた。"Comme du beurre dans un sandwich," *Phantomas*, no. 51-61
(December 1965), pp. 295-296, as cited in Crimp, op. cit., p. 71.

*38 Walter Benjamin, *Das Passagen-Werk* (Frankfurt am Main: Suhrkamp, 1982), vol. 1, p. 277, as cited in Crimp, op. cit., p. 72.〔『パサージュ論 第2巻』今村仁司・三島憲一ほか訳、岩波現代文庫、2003年、9頁〕

*39 「形象＝図のセクション」の展示（「漸新世から現在までの鷲」）において、ブロータースは、番号付けの原理と称して、数字をランダムに振っている。あるいは、他では、「Fig.1」「Fig.2」「Fig.A」など、偶然に任せて番号をまき散らすこともある。ところが、《私のコレクション》における「Fig.」番号は、例外的に、連番で並んでいる。

*40 Ibid., p. 73.〔『パサージュ論 第2巻』、10頁〕

*41 以下から引用した。Walter Benjamin, *Charles Baudelaire: A Lyric Poet in the Era of High Capitalism*, trans. Harry Zohn (London: New Left Books, 1973), p. 165, as cited in Crimp, op. cit., p. 80.〔『パリ論／ボードレール論集成』浅井健二郎編訳、久保田哲司・土合文夫訳、ちくま学芸文庫、2015年、24頁〕

*42 以下を参照。Susan Buck-Morss, *The Dialectics of Seeing: Walter Benjamin and the Arcades Project* (Cambridge, Mass.: MIT Press, 1989), pp. 241-245.〔『ベンヤミンとパサージュ論――見ることの弁証法』高井宏子訳、勁草書房、2014年、300-307頁〕

*43 Benjamin H. D. Buchloh, "Formalism and Historicity - Changing Concepts in American and European Art since 1945," in *Europe in the Seventies: Aspects of Recent Art*, exh. cat. (Chicago: The Art Institute of Chicago, 1977), p. 98.

*44 Walter Benjamin, *Das Passagen-Werk,* op. cit., p. 271, as cited in Crlmp, op. cit , p. 73.〔『パサージュ論 第2巻』、10頁〕

*45 Walter Benjamin, "Unpacking My Library" (1931), in

Illuminations, trans. Harry Zohn (New York: Schocken Books, 1969), p. 67.〔「蔵書の荷解きをする」浅井健二郎訳、『ベンヤミン・コレクション 2 ――エッセイの思想』浅井健二郎編訳、三宅晶子・久保哲司・内村博信・西村龍一訳、ちくま学芸文庫、1996年、30頁〕

*46　たしかにブロータースは、初期の活動として、すでに《時計の鍵》（1957）や《わが世代の歌》（1959）の2作を制作している――前者は、レジェの『バレエ・メカニック』のような初期の「実験」映画へ回帰した作品、後者は、既存のドキュメンタリーのフィルム素材を用いた編集作品。とはいえ、ブロータースが集中的にフィルムを用いて作品を制作しはじめたのは、1967年の《カラスとキツネ》からであり、この年から、このメディウムを用いた彼独自の実験の方法を手に入れたようである。これは、マイケル・スノウの《波長》が、クノックの実験映画祭で最優秀賞を受賞したのと同年にあたる。この映画祭を創設したジャック・ルドゥーは、ブリュッセルの王立シネマテーク――アンソロジー・フィルム・アーカイブスが収集していたのと同じタイプの映画のレパートリーの保管場所として機能していた――の館長である。

　ブロータースは、「実験映画とラ・フォンテーヌの寓話。最も強い理由」というエッセイのなかで、彼の「カラスとキツネ」展と関連づけつつ、スノウのフィルム作品について、いくつか詳細に記述している。さらに彼は、それをヨーロッパの「構造映画」、とりわけドイツの映像作家ルツ・モンマルツの『自己撮影』との関係のなかに位置づけている。（*Marcel Broodthaers: Cinéma,* Barcelona: Tapiès Foundation, 1997, pp. 60-61; ブロータースのこの記述とモンマルツについて指摘をくれたマリア・ヒリセンに謝辞を述べたい。）

*47　Walter Benjamin, "A Short History of Photography," in *"One Way*

Street" and Other Writings, trans. Edmund Jephcott and Kingsley Shorter (London: New Left Books, 1979).〔「写真小史」久保哲司訳、『ベンヤミン・コレクション 1』ちくま学芸文庫、1995 年、551-582 頁〕さらなる議論については、以下の拙論を参照。"Reinventing the Medium," op. cit.〔「メディウムの再発明」、『表象 08』〕

*48　「近代美術館、鷲部門、現代美術と広告のセクション」（カッセル、1972 年）のプレスリリース。以下に再録。*Marcel Broodthaers*, 1991, op. cit., p. 227.

*49　イルマ・ルベールによるインタビューへの回答。以下を参照。Marcel Broodthaers "Ten Thousand Francs Reward," *October*, no. 42 (Fall 1987), p. 43.

*50　「MTL-DTH」展（1970 年）のカタログからの抜粋。以下に引用されている。 Anne Rorimer, "The Exhibition at the MTL Gallery in Brussels, March 13-April 10, 1970," *October*, no. 42 (Fall 1987), p. 110.

*51　***33** を参照。

*52　《北海航行》の海景の素材の一部は、ブロータースがこれより少し前に制作した映画《ある絵画の分析》のマスターフィルムである。ただし《北海航行》は、ページ番号の振られた中間字幕と、彼自身が撮影した帆船の写真のショットを用いて再編集されている。1973 年の展示にブロータースが「文学的絵画」シリーズを展示した際――このとき、《ある絵画の分析》も上映されている――、ベンジャミン・ブクローとマイケル・オピッツが、この映画について作家に質問している。ブロータースに対するブクローの質問は、この映画がモダニズムのひとつのアレゴリーであり、モダニズムの自明性を分析し批判するものだという前提に立ったものだった――「映画のなかで

あなたは、還元と消滅という絵画の身振りをアイロニカルに反復していますが、これと同様の、陳腐化した時代遅れの原理が、あなたの絵画分析を決定しているのではないですか？」。これに対するブロータースの回答は、彼一流の、抵抗に満ちたものだった。「分析の道具だけで、本当に「制作」ができるとお考えですか？」。一義的には彼は質問しているかに見える。しかしその含意は、彼の映画が、ブクローが主張するような「絵画の問題」を扱っているとする考え方に対する不満であったように思う。彼はこう言っている。「私が扱っているのは、問題としての絵画ではなく、サブジェクトとしての絵画です。あなたの念頭には絵画の問題があるようですが、いまわれわれが話している映画は、その問題を変容させるスタイルで制作したものだと言っておきます」(Marcel Broodthaers: *Cinéma*, op. cit., pp. 230-231)。

　私の解釈では、ブロータースが上記のように「サブジェクト」という語を使うとき――「サブジェクトとしての絵画」――、ほとんどの場合、「主題（サブジェクト・マター）」や内容のようなものではなく、メディウムに関わる事象として使っているように思う。

*53　Marcel Broodthaers, "Ten Thousand Francs Reward," op. cit., p. 43.

*54　Fredric Jameson, *The Cultural Turn*, op. cit., pp. 110-112.〔『カルチュラル・ターン』、154-156 頁〕

*55　上記エッセイ（***19**）において、私はすでにこの視点から、ジェームズ・コールマンとジェフ・ウォールについて論じている。次の論考では、ウィリアム・ケントリッジについて論じるつもりだ。

図版リスト

図 1　Marcel Broodthaers, front cover of *Studio International*, October 1974. Courtesy of *Studio International*.

図 2　Marcel Broodthaers, back cover of *Studio International*, October 1974. Courtesy of *Studio International*.

図 3　Joseph Kosuth, *Art as Idea as Idea*, 1967. Panel on 'meaning'. © ARS, NY and DACS, London 2000.

図 4　Joseph Kosuth, *Seventh Investigation (Art as Idea as Idea)*, 1969. Outdoor billboard installation. © ARS, NY and DACS, London 2000.

図 5　Marcel Broodthaers, *Museum of Modern Art, Eagles Department (David-Ingres-Wiertz- Courbet)*, 1968. Paint on vacuum-formed plastic. 33⅔ × 47¼ inches. Photo © Gilissen.

図 6　Marcel Broodthaers, *Museum of Modern Art, Eagles Department, 19th-Century Section*, Brussels, 1968-9. Photo © Gilissen.

図 7　Marcel Broodthaers, *Museum of Modern Art, Eagles Department, 19th-Century Section*, Brussels, 1968-9. Photo © Gilissen.

図8　Marcel Broodthaers, *Museum of Modern Art, Eagles Department, Documentary Section*, 1969. Photomontage. Photo © Gilissen.

図9　Marcel Broodthaers, front cover of *Interfunktionen*, Fall 1974. Courtesy of *Interfunktionen*.

図10　Marcel Broodthaers, *Livre tableau*, 1969-70. Paint on vacuum-formed plastic. 33⅔ × 47¼ inches. Photo Degobert.

図11　Marcel Broodthaers, untitled, 1966. Reproduced in *Artforum*, May 1980. Courtesy of *Artforum*.

図12　Marcel Broodthaers, *Museum of Modern Art, Eagles Department, Film Section*, 1971-2. Broodthaers holding up Sadoul's book. Photo © Romero.

図13　Marcel Broodthaers, *Museum of Modern Art, Eagles Department, Film Section*, 1971-2. Painted screen in outer room. Photo © Gilissen.

図14　Marcel Broodthaers, *Museum of Modern Art, Eagles Department, Film Section*, 1971-2. Photomontage showing Broodthaers in the inner room. Photo © Bernd Jansen.

図15　Marcel Broodthaers, *Brüssel Teil II*, 1971. Film frame. Photo © Gilissen.

図16　Marcel Broodthaers, *Un Voyage à Waterloo (Napoléon 1769-1969)*, 1969. Film frames. Photo © Gilissen.

図17　Marcel Broodthaers, *Museum of Modern Art, Eagles Department, Section des Figures (Der Adler vom Oligozän bis Heute)*, 1972. Städtische Kunsthalle, Düsseldorf. Photo

© Gilissen.

図 18 Marcel Broodthaers, *Museum of Modern Art, Eagles Department, Section des Figures*, 1972. Städtische Kunsthalle, Düsseldorf. Photo © Gilissen.

図 19 Marcel Broodthaers, *Museum of Modern Art, Eagles Department, Section des Figures*, 1972. Städtische Kunsthalle, Düsseldorf. Photo © Gilissen.

図 20 Marcel Broodthaers, *Museum of Modern Art, Eagles Department, Section des Figures*, 1972. Städtische Kunsthalle, Düsseldorf. Photo © Gilissen.

図 21 Marcel Broodthaers, *Museum of Modern Art, Eagles Department, Section des Figures*, 1972. Städtische Kunsthalle, Düsseldorf. Photo © Gilissen.

図 22 Marcel Broodthaers, *Museum of Modern Art, Eagles Department, Section des Figures*, 1972. Städtische Kunsthalle, Düsseldorf. Photo © Gilissen.

図 23 Michael Snow, *Wavelength*, 1967. Film frame. Courtesy of Michael Snow.

図 24 Richard Serra, *Casting*, 1969-91. Lead casting. Approx. 4 × 300 × 300 inches. Temporary installation. Whitney Museum of American Art, New York City, 1969. Photo © Estate of Peter Moore/DACS, London/VAGA, New York 2000. Courtesy of Richard Serra.

図 25 Kenneth Noland, installation of *Coarse Shadow* and *Stria* in the André Emmerich Gallery. © Kenneth Noland/DACS, London/VAGA, New York 2000.

図 **26** Kenneth Noland, *Ado*, 1967. Acrylic on canvas. 24 × 96 inches. © Kenneth Noland/DACS, London/VAGA, New York 2000.

図 **27** Richard Serra, *Television Delivers People*, 1973. Video still. Courtesy of Richard Serra.

図 **28** Marcel Broodthaers, *Museum of Modern Art, Eagles Department, Section Publicité*. Wall montage of 1972 exhibition. Photo © Gilissen.

図 **29** Marcel Broodthaers, *Museum of Modern Art, Eagles Department, Section Publicité*. Wall montage of 1972 exhibition. Photo © Gilissen.

図 **30** Marcel Broodthaers, *Museum of Modern Art, Eagles Department, Section Publicité*. Wall montage of 1972 exhibition. Photo © Gilissen.

図 **31** Marcel Broodthaers, *Museum of Modern Art, Eagles Department, Section Publicité*. Wall montage of 1972 exhibition. Photo © Gilissen.

図 **32** Marcel Broodthaers, *Museum of Modern Art, Eagles Department, Section Publicité*. Wall montage of 1972 exhibition. Photo © Gilissen.

図 **33** Marcel Broodthaers, *Ma Collection*, 1971. Photographs and documents. Front view. Photo © Gilissen.

図 **34** Marcel Broodthaers, *Ma Collection*, 1971. Photographs and documents. Back view. Photo © Gilissen.

図 **35** Marcel Broodthaers, text on *Ma Collection*, 1971. Photo © Gilissen.

図 **36** Marcel Broodthaers, *Un jardin d'hiver*, 1974. Film still. Photo © Yves Gevaert.

図 **37** Marcel Broodthaers, *La pluie*, 1969. Film frame. Photo © Gilissen.

図 **38** Marcel Broodthaers, *Ceci ne serait pas une pipe*, 1969-71. Film frame. Photo © Gilissen.

図 **39** Marcel Broodthaers, *Charles Baudelaire. Je hais le mouvement qui déplace les lignes*, 1973. Book cover. Photo © Gilissen.

図 **40** Marcel Broodthaers, *Charles Baudelaire. Je hais le mouvement qui déplace les lignes*, 1973. Page 1. Photo © Gilissen.

図 **41** Marcel Broodthaers, *Charles Baudelaire. Je hais le mouvement qui déplace les lignes*, 1973. Pages 2 and 3. Photo © Gilissen.

図 **42** Marcel Broodthaers, *Charles Baudelaire. Je hais le mouvement qui déplace les lignes*, 1973. Pages 4 and 5. Photo © Gilissen.

図 **43** Marcel Broodthaers, *Un coup de dés jamais n'abolira le hasard. Image*, 1969. Book. Front cover. Wide White Space Gallery, Antwerp; Galerie Michael Werner, Cologne. Photo © Gilissen.

図 **44** Marcel Broodthaers, *Un coup de dés jamais n'abolira le hasard. Image*, 1969. Book. Page 32. Photo © Gilissen.

図 **45** Marcel Broodthaers, *A Voyage on the North Sea*, 1973-4. Film frames. Photo © Gilissen.

　本書の翻訳出版の話が本格的に動き出したのは、いつのことだったか。すでに記憶の彼方に霞んでしまって正確な日付が思い出せないが、少なくとも 2021 年 3 月より前に遡るはずだ。以前平凡社から『独身者たち』の翻訳を出された井上康彦さんが、果敢にも、つづけて、ロザリンド・クラウスの思想の新展開が濃縮された本書に挑んでみたいと手を挙げられて、定期的な訳稿検討会が始まったのだった。[01]

　原書が世に出たのは 1999 年。すでにそれから 20 年以上の時間が過ぎているが、タイトルに含まれた「ポストメディウム」という言葉が挑発的な響きをともなっていたこともあって、出版後たちまち大きな話題となり、多くの美術関係者たちがこぞってそのフレー

ズを口にするようになったものだった。

　だが、当時のことを回想すると、多くの人が「ポストメディウム」という用語をさかんに振り回すようになるにつれ、不信感を覚えざるを得ないような杜撰な理解（あるいは曲解）に満ちた評言も目立つようになり、大いに戸惑ったというのが正直なところだ。中には、あたかもクラウスがポストメディウム的転回を果たしたかのような、よく読めば本書の主張とは真逆の理解を披露する者もいたりして、唖然としたことを思い出す。

　その意味で、ようやく読者各々がみずから日本語で本書を吟味できるようになったことは喜ばしい。まずは、このクラウスの著作の中でも、とりわけ凝縮的で、読者——特に文脈を共有しない読者——にとっては、なかなかとりつきにくい本書に挑戦された井上さん、そして出版を決められた水声社に敬意を表したい。

　さて、私に課された役割は、本書を読むための補助

線をいくつか引いてみることだとはいえ、言うまでも
なくそれは、唯一の「正解」に辿り着くためのもので
はない。私自身が「正解」に辿り着いていない、どこ
ろか、この文章に示すように、様々な疑問を抱えたま
まのだから、それは初手から無理と言わざるを得ない。
ただ、本書が提起する「問い」の「問い」としての解
像度を上げ、できれば、本書自体を「メディウム」と
して捉え直し、その理論的可能性を検証するための
ちょっとしたメモを提供できればと思うばかりだ。

ポストメディウム的条件とは？

　はじめに、全体の議論の前提になっている「ポスト
メディウム的条件」について考えてみたい。
　単純な事実確認から入るとすれば、この語は、本書
ではじめて登場したわけではなく、クラウスの1990
年代の諸論においてすでに使われている。ジェームズ・

コールマン、ウィリアム・ケントリッジ、エド・ルシェイ、ブルース・ナウマン、リチャード・セラなどといった作家たちを論じた諸論文の中で使われはじめ、本書はそういった議論の積層の上に成り立っている。いつが正確な初出か、あるいは、いったい誰が最初に使い出したのかという書誌的な探索はここではおくとして、そのような「前史」の成熟の上に本書の出版があったという事実をまずは押さえておきたい。^{*02}

　その過程を通じ一貫して変わらないのは、クラウスが、「ポストメディウム」という用語を、みずからの理論的主張を代表あるいは象徴するものとして使ったことは一度もないということだ。この語は、いわば歴史記述（より正確に言えば、歴史語りの傾向の記述）のために導入されたものであり、いわゆる「ポストモダニズム」の時代の美術をめぐる言説に生じた、彼女にとっては望ましからぬ変化を総括するための、いわば否定的述語として導入されているに過ぎない。

　クラウスの主張の背後に響いているのは、以下のよ

うな問いだ。いわゆる「ポストモダニズム」の美学の多くは、モダニズムの時代に中心的な役割を担っていた「メディウム」という概念の歴史的有効性が失われたという観点を共有していた。つまり、メディウムの時代が終わり、今やポストメディウムの時代になったと説くのだが、果たしてその、一見ラディカルに聞こえる歴史語りには、何がしか批評的価値があるのだろうか。

　そして、単純化の誇りを恐れず要約すれば、クラウスは、その言説に真っ向から対峙し、いや、今こそ「メディウム」概念の未掘の可能性を見出さなければならないし、今だからこそ、その可能性が見えるようにもなっていると説く。「ポストメディウム的条件」とは、したがって、メディウムの終焉を前提にしなければならないということではなく、そういった言説の広がりこそが逆説的にメディウム概念の更新のための条件であるという主張であって、ではどのようにしてその更新が可能になるのかというのが、本書を貫く主題なの

である。

クレメント・グリーンバーグ

メディウム概念の更新をはかる試みが、クラウスの90年代以降の仕事を貫くひとつの稜線を成しているとすれば、ことの必然として、まず、更新前のメディウム概念がどのような問題を孕んでいたのかを認識しなければならない。

本書の序文は、そのことを明確に語っている。

60年代以降は、「メディウム」という語を発すると「グリーンバーグ」を喚起するようになっていたこと。これが私が直面していた問題だった。

（014頁）

美術におけるモダニズムの美学に多少なりとも通じ

ている者ならば、このクラウスの発言を理解するのは
難しくないだろう。モダニズムと言えばクレメント・
グリーンバーグの名、そしてそれとともに「メディウ
ム」という鍵概念が自動想起されるほど、その批評理
論は、戦後のアメリカ美術、とりわけ抽象表現主義の
グローバルな承認とともに、広く深い影響を持つよう
になった。

　そのグリーンバーグの「メディウム」論の呪縛をい
かにして解くかという課題に対峙してクラウスは、序
で述べているように、たとえば、スタンリー・カヴェ
ルの「オートマティズム」という概念に深い関心を抱
く。映画という多数の要素から構成された技術的アッ
サンブラージュ（観客の存在もその一要素として組み込まれ
ている）から思考を起こすカヴェルにとって、メディ
ウムとは、グリーンバーグ（少なくとも初期の）が、絵
画というメディウムを平面と枠と絵具という限られた
所与の物理的実体に還元してしまったのと同じような
方法では捉えることのできないものだった。その複合

的な思考が、クラウスにとっては、グリーンバーグの
メディウム論の「還元主義的性質と物象化へと邁進す
る傾向」（014頁）を超克するためのヒントに見えたの
である。したがって、本書でクラウスが、マルセル・
ブロータースという、絵画や彫刻という伝統的なジャ
ンル画定に囚われない仕事をし、ことにフィルム作品
においてその横断性を先鋭的に追求した作家をとり上
げているのは、必然とも言える。

　最終的にクラウスは、カヴェルの「オートマティズ
ム」という概念を採用するには至らない。その理由に
ついては序に詳にされているので、ここで屋上屋を架
すことは慎みたいが、気になるのは、クラウスが彼女
自身の非グリーンバーグ的なメディウム概念を、抽象
表現主義をはるかに遡る、19世紀末のモーリス・ド
ニの絵画論にも見出そうとしていることだ。

　一方でクラウスには、前述したように、60年代以
降のミニマリズムからコンセプチュアル・アートへと
連なる、彼女にとっては同時代を生きたセラやナウマ

ンといった作家たち（そこに、本文中で触れられるマイケル・スノウなどを加えてもいい）の仕事に伴走する中で、グリーンバーグのメディウム概念の限界に気づいていくという面がある。だが、他方で彼女は、その新しいメディウム概念を、抽象表現主義以降の美術に対応する限定的なものと捉えるのではなく、その系譜をモダニズムの起源にまで遡って見出そうとしているようなのだ。

これは、映画というメディウムの誕生とモダニズム美学の登場が19世紀の後半に、若干のズレを挟みながらも、並行的に起こったことに、あらためて注意を促すことのように思われるが、深くその問題に分け入っていく余裕は今ない。ただ、簡単に触れておきたいのは、問題を蒸し返すことになるが、カヴェルのオートマティズム概念とグリーンバーグのメディウム論のあいだの、実はそれほど明瞭に割り切ることはできない関係性だ。

カヴェルのいう「オートマティズム」は、重層的な

意味の層からなる一筋縄ではいかない概念である。それを、クラウスに関わる二つの点に絞って思い切って単純化するならば、一方には、写真（映画というメディウムの根底にある機械としてのカメラ）が、人間の目を通さずに世界を「オートマティック」に写すことの重要性がある。その意味でのオートマティズムは、人間の意識による制御からの「自律性」を含意している。それがフロイト−シュルレアリスム−ベンヤミンという線を貫く「視覚的無意識」の問題と密接に結びついていることは誰しもに理解できることだろう。序のクラウスの文章には、両者の関係が近すぎることに対する警戒が滲み出ている。クラウスがシュルレアリスムやベンヤミンの写真論に深く影響を受け、常に、彼らを媒介して「王道」モダニズムに対する批判的距離を表明してきた人であることは、今更言うまでもない。その点については、後であらためて論ずるが、本書の序における彼女の言明（012-013 頁）は、メディウム概念がシュルレアリスム的な「オートマティズム」が暗示

する即興的かつ無政府的な運動へと包摂されてしまう
ことに対する抵抗を示している。

　が、その一方で、カヴェルのいう「オートマティズ
ム」には、その即興性・無政府性へとみずからを明け
渡してしまわない、こう言ってよければ抵抗的側面が
ある。それは、言うなれば、再帰的なメディウムの生
成史観ともいうべきもので、このニュアンスにおいて
「自律的」なのは、テクノロジーの機械的な作動とい
うことではなく、先にも触れたように、そのテクノロ
ジーが複合して、人間をも一要因として巻き込みなが
ら、再帰的あるいは内省的に変貌を遂げていく歴史的
進行の「自律性」だ。そして、クラウスが、この二番
目の「自律性」（一番目の自律性と二番目のそれの関係は截
然と分断できるものではなく、相互貫入的な関係にもあるのだ
が、そこはとりあえずおくとして）に深い関心を抱いてい
たことは、この書物において彼女が繰り返し強調する
鍵概念が「再帰性（recursivity）」であることに見てとれる。

　問題を複雑にするのは、このカヴェルによる「再帰

性」が、グリーンバーグにとっての鍵概念だった「自己批判（self-criticism）」と縁戚関係にあるとも見えることだ。[03]

　両者を橋渡しするのは、広い意味での「歴史主義」と言っていいかもしれない。序の結論部でクラウスは、「歴史」という言葉を繰り返しながら、その歴史の成立する場所をメディウムの「固有性（スペシフィシテイ）」と見定めている。その固有の歴史への自覚が、芸術の質を問う根拠になり得るというのがクラウスの主張であり、それは、一歩間違うと、各芸術ジャンルが自らの拠って立つ根拠であるメディウムの固有性を自覚し、その本質への自己批判的（＝再帰的）意識を具現しているかどうかを「質」の根拠としたグリーンバーグの焼き直しにすぎないではないかという感想を招く危険を伴った主張なのである。白状すれば、私自身も、本書を初読した時にはそんな感想を持った。また、出版直後にイヴ＝アラン・ボアと感想を述べ合った時には、クラウスの良き理解者である彼もまた、同じ不安／不満を感じてい

ることを強調していたことを思い出す。

　だが、本書や、その前後に書かれたクラウスの諸論文に目を通すうちに、その第一印象が、粗雑な単純化の誹りを受けかねないものであること、そして、両者の間には、まさに「歴史」をどのように捉えているかという点において、大きな違いがあることもまたわかってきた。

コンヴェンションの発明

　序の最後でクラウスは、「固有性[スペシフィシティ]」について触れながら、みずからのメディウム観がグリーンバーグのそれといかに違うかについて再び強調している。その鍵になっているのは、「約束事[コンヴェンション]」という概念だ。グリーンバーグがメディウム概念を、「物質的性質のみに還元」（016頁）してしまったのに対し、その「内部で重層化された諸々の約束事」（016頁）を含めるものとし

て再び捉え直すこと、それこそが「再帰的構造」としてのメディウムの固有性に光を当てる方法なのだ、そうクラウスは主張している。

　ここで「約束事」と訳されている convention には、他にも、慣習、しきたり、因習などの訳語候補があるが、いずれにしても、それが「歴史」と親しい関係を持っていることは誰しもに理解しやすいことだろう。時の経過とともに成立し蓄積されるものが、convention に他ならないからだ。

　西洋絵画の伝統の中にその一例を求めるとすれば、最もわかりやすいものとして、遠近法という約束事が挙げられる。15 世紀に発明されたこの「法」は、やがて油絵という、重ね塗りを許し、精細な光と色彩の諧調表現を可能にした技法と幸福な出合いを果たし、明暗法や空気遠近法など、さまざまな空間表現のための「約束事」と一体化していく。つまり、油絵が、単なる物質的所与ではなく「メディウム」となるためには、そういった約束事の堆積との同化の過程がなけれ

ばならなかったということだ。クラウスは、そのような複合的な構造体としてのメディウムを、しばしば「技術的支持体」と言い換えているが、そこには、やはり物理的な支持体や、テクノロジーと共に、その使用法を支える技法の体系や知識が含まれている。

　がしかし、問題は、今私が遠近法について「15世紀に発明された」と言ったように、表現上の約束事は、つねに慣性の法則によって過去から継続される習慣によって決定されるわけではないということだ。表現の歴史、あるいは表現の生命は、「慣性」とは異質の飛躍あるいは、ルクレティウスの言葉を借りるならば、「クリナメン」的な逸脱をもその糧にしている。クラウスは、実際、メディウムという言葉に「発明」という動詞を付随させることが少なくない。『アンダー・ブルー・カップ (*Under Blue Cup*)』という本書の後に出版された、辞書的な構造を持つ彼女の短い論集では、メディウム概念にさまざまな方向からアプローチした短文が積み重ねられているが、その中には、たとえば、

こんな発言が見出せる。

> メディウムという言葉だけが、出来の良い作品が
> 持つ再帰的な性格を浮き上がらせることができ
> る。作家が、新しい技術的支持体（テクニカル・サポート）を諸々の約束
> 事（conventions）を持つものとして発見するとき、
> その作家は、あるメディウムを「発明している
> （inventing）」のだということができる[04]。

　この「発明」という言葉は、本書ではそれほど重要
な役割を与えられていないが、それに呼応するように、
アンテルナシオナル・シチュアシオニストから借りた
「転用（détournement）」という概念が繰り返し登場する。
ヴァルター・ベンヤミンが論じた「蒐集家」の方法が、
対象物を「有用性の束縛」から解放し、新しいコンテ
クストに挿入することに着目していることも趣旨を同
じくしているが、そういった箇所でクラウスが評価す
るのは、慣性的な運動から逸脱するクリナメン的な方

向転換の力なのである。

　だがしかし、本来、「コンヴェンション」という概念は、そのような不意の転換や「発明」とは相容れないもののはずである。上の引用中にも、「新しい技術的支持体を諸々の約束事を持つものとして発見する」というフレーズがあるが、いったいどのようにして、新しく発見されたばかりの支持体が、すでにコンヴェンションを持っているなどということが可能になるのだろうか。だが、どうやら、そういった矛盾が両立可能になるねじれた時空にこそ、クラウスが考える「メディウム」の場が定位されているようなのだ。

　その踏み込んだ理論的検討に関心のある読者には、『アンダー・ブルー・カップ』を繙いてみることを勧めるが、コンベンションと発明、この両者は、クラウスの思考の中では、対立しながらも相互依存的な、あるいは反転可能な関係にある。言い換えれば、「構造的メディウム」とでも呼ぶべき技術的支持体は、再帰的にみずからを更新させるという意味で、コンヴェン

ショナルな性格を持つ一方で、突然変異のようにして「未生のコンヴェンション」を生成する「媒体」にもなり得るということだ。だがそこで気をつけなければならないのは、この突発的な変異——だからこそ「発明」と呼ばれる——は、かつてグリーンバーグがメディウムの自律的な進展を主張した際に想定したような、いわば弁証法的に自己展開するプロセスには回収できないものであり、ある意味で、その予想不可能性にこそ自律の根拠が見出されているということだ。

しかし、再度立ち止まって考えてみれば、この「未生のコンヴェンション」という表現そのものが、自己撞着的であることは疑いを容れない。コンヴェンションという概念に予め内包されている社会性と歴史性——すでに他者との反復と交換に供されているからこそそれは「約束事」として認識される——は、未生のものが出現する、あるいは発明されるという一回的な出来事であるはずがない。

クラウスは、私の見る限り、朧げに暗示するだけで、

この問題に正面切って答えているとは思えないのだが、少なくとも次のような回答が想定できるのではないかとは思う。

アナクロニスティックな「発明」

　それは、発明という概念には、そもそも反復が書き込まれているのではないかというものだ[*05]。というのは、作家が新しい技術的支持体（テクニカル・サポート）を発明するためには、それが実際に使われなければならず、それが反復的に使用可能だと感受された時に初めて、新しい支持体と見なされるだろうからだ。その反復可能性の感知こそが「発明」という認識の条件になっていると言ってもいい。つまり、まったく新しいメディウム構造体であったとしても、それが「発明」として受けとられる時には、すでにある種のコンヴェンショナリティが予感されているということでもある。その観点から言えば、発明

とコンヴェンションは、必ずしも対立する概念ではなく、むしろ潜在性と現実性の関係性として見えてくる。ある支持体が「歴史」を形成する過程とは、その発明の中にすでに潜在していた「未生のコンヴェンション」が現実化してくる過程というふうに。

　ちなみに、先に、コンヴェンションの条件として「他者との反復と交換」に言及したが、この潜在的な反復という観点からより正確に言えば、反復可能性を真っ先に予感するのは他ならぬ作家自身である場合が多いだろうから、彼／彼女もまた、厳密に言えば、その「他者」の中に数えることができる。ある単独的な出来事として成立してしまったことが、技術的支持体として認識される時、作家は、それを再使用し、場合によっては、転用や改変の地平を前にして立つ「新しい主体＝他者」となっているだろうからだ。

　ただ、ここで注意を促しておきたいのは、この「予感」がいつどのようにして到来するのかという問題だ。そこには、クラウスのメディウム論において、時間が

　ポストメディウム時代の芸術

どのように関与するのかという一筋縄ではいかない問題が絡んでいるのであって、その点においても彼女の論理は、グリーンバーグが想定していたような弁証法的なメディウム更新の論理とは本質的な違いを見せている。

　そのことを考えるのに重要なヒントになってくれるのは、本書で重要な役割を果たす「時代遅れ」という概念だ。なぜ、ブロータースは黎明期の映画や、すでに古びつつある19世紀の小説（フィクション）のような「メディウム」を、1960年代になって意図的に再利用しようとしたのだろうか。詳細については本書を精読していただきたいが、クラウスは、この「時代遅れ」のメディウムに対する関心を、ベンヤミンを引きつつ解読していく。

　ベンヤミンの仕事が、先に触れた蒐集家への関心にも通底することだが、「時代遅れ」になってしまったものへの強い関心をひとつの推進力として成立していたことは今更言うまでもない。パリの19世紀前半の

「パサージュ（アーケード式の商店街）」に対する彼の持続的な関心から残された膨大な量の文章は、そのことを証してあまりある。論文のようなまとまりを見せるものから、走り書きのメモのようなものまで、歴史の断片的残像──アレゴリーと化した残骸──を拾い集めながら書き留められたそれらの文章は、それ自体も断片的な集積を成していて、「蒐集家」「ゴミ拾い」「ウィンドウ・ディスプレイ」など、彼にとって深い象徴価をおびた形象の数々を想起させる。

　クラウスが強調するのは、ベンヤミンが、そういった「時代遅れ」の物象の読解によって、見失われた革命あるいはユートピアの可能性を再発見していることだった。彼は、パサージュ全盛の時代からほぼ1世紀を経た1930年代に、それらの文章群を書き溜めながら、新たな可能性を孕む「構造的メディウム」としてパサージュを発見しているということになる。このアナクロニスティックな方法をクラウスは、ブロータースに、そしてさらに広く、彼女の言う技術的支持体（テクニカル・サポート）の

歴史に見出していく。曰く、

　　しかしベンヤミンの考えでは、どんな社会形態に
　　も技術工程にも、それが誕生した当初にはその
　　ユートピア的側面がたしかに存在していたのであ
　　り、さらにその技術が陳腐化したときにこそ、そ
　　の側面が、消滅する星が最後に放つ閃光のように、
　　解放される。なぜなら、商品生産の掟そのもので
　　ある陳腐化作用が、時代遅れになったモノを有用
　　性の支配から解放し、さらにその掟自体が空虚な
　　ものであることを暴き立てるからだ。　　（075頁）

　この時間差の問題、あるいは、現在時点と過去時点
の突然のスパークをどう考えるか。先に私は、発明と
いう概念にはすでに反復が書き込まれているのではな
いかと述べたが、この「反復」は、ベンヤミン的なア
ナクロニズムと照らしてみれば、ある潜在性として
内在しているのであって、ある事象が技術的支持体と

して「発明＝反復」されるタイミングは、弁証法をは
じめとして段階的かつ不可逆的な進行として想像され
た歴史の論理によっては、予測不可能ということに
なるだろう。唯一の指標は「有用性の支配」からの
解放という条件かもしれない。有用性のネットワー
ク（意味や情動効果のネットワークにも拡張可能だろう）か
ら解放され「陳腐化」した時に、はじめて、所与の
技術的支持体が可能性として孕んでいたユートピア的
側面が視界に入ってくるというのだから。

　だが、その「時代遅れ」の世界は、言うまでもなく、
膨大な広がりを持っている。クラウスもベンヤミンも、
実際にとり扱っている例を見る限り、比較的近い過去
の事象に深い可能性を見ているようだが、ではそれを
いわゆる「近過去」だけに限定することが可能かとい
うと、難しいに違いない。どの「時代遅れ」の事象が、
どの時点で新しいメディウムとして変成し得るのかは、
予測不能である他ない。それは、ある意味で、無意識
の記憶の偶発的な回帰に似た、通常の意味での理解を

超える「事件」のようなものなのだ。その「事件」が「発明＝反復」というステータスを得るには、何らかの飛躍が、奇跡のような他者との交換が、おそらくは必要になる。

　ちょうど、ある新語が、あるいは忘れられた死語が、ある日突然、独特のニュアンスを帯びて（再）流通をはじめ、生き生きとした意味の媒体として使用されるようになる過程のように、それが一体どうしてそのような活力を得て共有されるようになるのかは、謎なのだ。これは、後期のウィトゲンシュタインが「言語ゲーム」という概念を使って、言葉の使用＝交換の場面にこそ意味生成の基盤がある（意味は予め実体的に与えられているわけではない）ことを指摘したことを思わせもする事態だが、クラウスとベンヤミンの場合、その直線的な時間の推移に亀裂を持ち込む新しい意味の生成＝回帰への関心の背景には、蝶番のようなものとして、シュルレアリスムという契機があることをここで指摘しておきたい。

そもそも、クラウスの仕事は、代表的な論文のひと
つに「シュルレアリスムの写真的条件」（1981 年）が
あるように、シュルレアリスムへの持続的な関心に
よって貫かれている。このことは、デュシャンへの深
い傾倒とともに、クラウスとグリーンバーグ的な意味
でのモダニズムの関係を複雑なものにしてきた。時折、
クラウスを安易に「モダニスト」と形容する論者がい
るが、往々にして、彼らはそういった屈折あるいは亀
裂を見逃しているか、軽く見積もっている。

　グリーンバーグは、シュルレアリスムを「モダン」
なものと認めることはできなかった。彼が認めること
ができたのは、その中の一部の動向、つまり、自動筆
記的な技法を使って大画面をオール・オーヴァーに使
うようになったミロの仕事のようなものだけだった。
ひとことで言えば、そこには、絵画が平面性への還元
に向かう傾向が認められたからであり、その意味で、
抽象表現主義への階梯を準備するものと解釈できたか
らだった。

そういう例外を除けば、彼にとってシュルレアリス
ムは、遠近法的な表象空間を維持していることや、文
学的な内容を保持しているといった点で、モダンであ
るどころか、それとは正反対の反動性・保守性を帯び
た運動だった。[*06]したがって、クラウスが、シュルレア
リスムへの関心を早々に深めて行ったことは、たとえ
ば、同じようにグリーンバーグの薫陶を受けたマイケ
ル・フリードが一貫して無関心を貫いていることと際
立った対照を成していることを見ても、きわめて意志
的な決断だったに違いない。

　今、反動的・保守的と言ったが、シュルレアリスム
の興味深い点は、すでに塚原史などの指摘があるよう
に、それまでの前衛的な運動（広い意味での）が、印象
派から未来派やダダや構成主義まで、美術館に象徴さ
れる過去の伝統に対する敵意を燃やし、ゼロから新し
い歴史を起動させるという欲望を繰り返し表明してい
たのに対し、過去への振り返りあるいは再利用を惜し
まなかったことだ。[*07]つまり、その運動を支えていたのは、

未来へ向かう直線的なだけの想像力ではなく、むしろ、過去との予期せぬ邂逅を媒介にした「革命」だったのだ。その錯綜する（亜）時間感覚が、フロイト理論における時間の捻れ——意識と無意識の関係が織りなす時間的アナキズム——に呼応することは、言うまでもない。

このシュルレアリスムの時間感覚が、ベンヤミンの「時代遅れ」のものに対する深い関心を思わせることは、明らかだろう。実際、ベンヤミンとシュルレアリスムの関係は深く、先に触れたパサージュ論の構想自体がシュルレアリスムとの出合いによって推進力を得たことは、彼自身が書簡などで明らかにしているし、さらに傍証を挙げるとすれば、パサージュ論と並行して彼が 1929 年に上梓したその名も「シュルレアリスム」というエッセイでは、アンドレ・ブルトンこそ最初に「時代遅れ」のものの「革命的エネルギー」を発見した人だとまで言っている。[08] そして何より、「静止状態の弁証法」という独自の鍵概念を通じて、ヘーゲル流の前へ前へと進んでいく弁証法とは決定的に異なる過

去と現在の「形象」的邂逅の可能性を示唆したことも
また、シュルレアリスムの時間的錯綜のインパクトを
抜きにして考えることは出来ない[*09]。

　クラウスにとって、シュルレアリスムとベンヤミ
ン、どちらへの関心が先行したのか、正確なところは
定かではないが、後者については、もう30年近く前に、
彼女自身の口から、1968年に出版された英訳のエッ
セイ集『イリュミネーションズ（*Illuminations*)』を読ん
だ時の衝撃と、それによって写真へのアプローチが決
定的に変わったと聞かされたことがある[*10]。彼女がシュ
ルレアリスム関係の文章を盛んに発表するようになる
のはそれからしばらく経ってのことだから、ベンヤミ
ンの思考から受けた衝撃がその傾倒を促す要因のひと
つであったことは間違いないだろう。

　このシュルレアリスムへの関心は、本書のブロー
タースへの関心へと幾筋もの経路で繋がってもいる。
ブロータースが母国の先輩作家マグリットに深く傾倒
していたこと。さらに、彼の「近代美術」の名を冠し

た「蒐集」的なアプローチが、多くのシュルレアリストたちが世界中からさまざまな部族美術の作品を蒐集し「近代美術」という新しい文脈へと転用していたことを反復する構造を持っていることなど、初期映画に対する関心だけではなく、「時代遅れ」のものが持つ未掘の可能性を、その美学を打ち出した当のシュルレアリスムの中にも発見するという方法が、クラウスの批評的実践と見事に呼応するものだったことは想像に難くない。

　話を少し広げると、ちょうど同じ頃クラウスは、レオ・スタインバーグとの親交を深めていて、グリーンバーグとはまったく違う角度から絵画の平面性に接近することを可能にした「フラットベッド」という概念からも大きなインスピレーションを受けとっている。このことを、あらためて「ベンヤミン・ショック」と並べてみると、本書の議論へとつながる重要な経路が見えてくる。つまり、一方には、ベンヤミン－シュルレアリスム的なアナクロニスティックな時間構造への

目覚めがあり、もう一方には、絵画のメディウムの構成要素としての平面性について、純粋視覚モデルでは説明のつかない、多感覚的であり、かつ言語／記号的次元をも内包するより重層的かつ複合的な場としての平面（＝フラットベッド）が出現したことへの気づきがあったということだ。

　本書で展開されるメディウム論と時間論に至る道筋の発端は、どうやらこの辺りにありそうだというのが私の見立てだが、接続経路は必ずしも単純ではない。その屈曲に富む道筋のマッピングについては、また機会があれば稿をあらためて論じてみたい。ただひとつだけ再確認しておきたいのは、ブロータースだけではなく、本書で触れられるリチャード・セラ、マイケル・スノウなどの仕事が、そういったクラウスの転回とほぼ同時期に進められていたことだ。つまり、当時の批評的言説と美術の実践は、グリーンバーグ的な意味での「モダニズム」の臨界点に生じた磁場を共有し、その舞台上で、新しい風を巻き起こす螺旋的かつ多元的

な相互作用を繰り広げていたのだ。

「自律性」と「救済」

さて、最後にもう一度、新しいメディウムの「発明」について、忘れてはならないことを付記しておこう。

クラウスは、すでに見たように、ある技術的支持体(テクニカル・サポート)の新たな可能性は、それが「有用性の支配から解放」されることによって見出されると主張している。だとすると、しかし、その時発見される可能性は、それにあらかじめ内包されていたものなのだろうか。もともと開発されるべき潜在的な可能性の束があり、その内の特定の株だけがまずは成長し、時代遅れになってから未成長の株が発見され成長する、そのように考えるべきなのだろうか。言い換えれば、その潜在的な可能性の束は、ひとつの「束」として同定できる隠された全体をアプリオリに構成しているととるべきなのだろ

うか。

　おそらく、そうではない。「おそらく」と言うのは、クラウス自身、ベンヤミンの思考を辿りながら、こんな風にも言っているからだ。「化石が発見されるように、誕生当初にその技術自体に埋め込まれていた救済の要素が姿を現す、という彼の感覚」（090-091 頁）と。こういう一節を読むと、あらかじめ可能性の束は、ひとつの全体としてその「化石」の中に潜在していたと考えたくもなるが、やはりそう簡単に話は済まないだろうというのが、私の見立てだ。

　鍵になるのは「開放性」（085 頁）そして「自己差異化」というクラウスの言葉だ。つまり、時代遅れになった技術的支持体は、有用性の軛から解放された時、自己差異化の別の可能性へとひらかれていく、つまり、みずから変容を遂げ、そのプロセスに伴って、新しい可能性の地平を次々とひらいていくものとして想像されているのであり、「自己差異化」をつづけるとすれば、あらかじめ与えられた可能性の束という固定化さ

れた前提自体は、やはり受け入れることができなくなる。したがって、ここで言われる「可能性」の広がりは、雲のように、無数の粒子からなる領野であり、その全体形状は絶えず変わりつつあって、実定的な集合として捉えることができないということだ。

　そうした自己差異化する複数性からの可能性の発現は、話を戻せば、あらかじめ定められた目的や原因からは決定できない、クリナメン的な逸脱を孕んだ生成変化ということにならざるを得ない。したがって、クラウスにとっての「歴史」や「コンヴェンション」は、その外部に想定された原因から道筋が演繹される決定論的なものでもなければ、目的地によって帰納的に決められる目的論的なものでもない、その意味で、やはり弁証法的な想像力とは無縁の、何か、突然変異の可能性をも抱合した、いわば「生」という他ないようなものだ。ただ、それがさらなる理論的隘路へと私たちを誘い込むようにも感じるのは、その「自律的」な蠢きとしてのメディウムの自己差異化の展開が、クラウ

スによって、ベンヤミンの言う「救済」と結びつけら
れているからだ。

　そもそも、「救済」と「自律性」という二つの概念
の間には、平和裡に和解させることができない潜在的
な軋轢が刻まれている。救済という概念には、目的や
原因といったアプリオリに想定された外部ではないも
のの、何かしら外部的なものとの接触、あるいはその
到来とでも言うべきニュアンスがつき纏っている。何
によってなのか？　どこに向かってなのか？　「救済」
には、はっきりと方向を定めることはできないが、外
部への志向が棲みついている。

　たとえばクラウスは、ブロータースが「作品の裏地
に救済的と呼ぶべきものを縫い込んでいる」（089頁）
と言う。彼が初期映画や19世紀のフィクションを「時
代遅れ」の化石として再発見し、その可能性を「救済」
していると言う論旨の中での発言だが、そこで気にな
るのは、ブロータースが、各メディウムの「内的複合性」
（109頁）を浮き彫りにすることができたのは、図と言葉、

映像と小説、美術館的秩序と蒐集家の論理、そういった様々な位相の「メディウム」を交錯させることによってだということだ。その事実は、内的複合性の「救済」が実現されるには、新たに外在的に組み合わされた、言わば「アッサンブラージュ」的なメディウムの複合体——その中には、それを発見するブロータースという作家自身も一要素として参入している——の作動が要請されなければならなかったという仮説へと私たちを導く。この「新しいメディウム」の関係性のメカニズム、すなわち外部的なるものの挿入とその編入の効果については、もう一歩踏み込んだ考察が可能なのではないか、あるいは必要なのではないか、そんな気がしてならない。

　その考察は、おそらくは、メディウムというものの境界の不安定性、それを構成する要素の不確定性あるいは更新可能性の方へ、つまりは、その「自律性」を揺るがす方向へと私たちの思考を導いて行くだろう。ひとことで言えば、「自律性」という概念における「自」

の存在論的な不安定性ということかもしれない。クラウスのいう「開放性」にも、そうしたニュアンスが無いではないが、他方で、彼女の技術的支持体という概念は、素朴唯物論的な実体ではないにしても、ひとまとまりの対象としての同定可能性を強く示唆するために、この「メディウム」の境界不確定性、おそらくは無限定の拡張可能性という問題を、どこか見えなくさせて（抑圧して？）しまっているのではないか、そして、そのことによって、メディウムがアッサンブラージュ的に増殖または拡張連結を果たしていく「自由」について私たちを盲目にしてしまう効果がありはしないか。そんな疑問が脳裏をよぎるのを抑えることができない。

　そして、さらにその線に沿って思考の触手を伸ばすとすれば、たとえば、ブルーノ・ラトゥールがいう「アクタント」という、より広い転用可能性へとひらかれた概念とクラウスの「メディウム」の関係をどのように捉えるべきなのか。それは包摂関係なのか、重なりを持つ隣接関係なのか、あるいは架橋不能な亀裂を抱

えているのか、本書の再読後、私は、次々と湧いてくるそんな漠然とした疑問に囚われて、どこか寄る辺ない時間を過ごしたことを言い添えておく。茫漠と広がる海面に小石＝賽子を投げるような頼りない所作かもしれないが、この一連の問いを読者諸賢に差し出すことによってこの論を閉じることとしよう。

（美術史・美術批評）

注

*01　ロザリンド・クラウス『独身者たち』、井上康彦訳、平凡社、2018 年。
*02　『独身者たち』に寄せた私自身の解説「独身者たちの領土――無産性の輝き」でも、クラウスのポストメディウム論については概説を試みているので、そちらも参照願いたい。本論は、その後の私

自身の思考の展開の素描とも言える。

*03　本論では立ち入らないが、カヴェルとクラウスの関係をさらに複雑にしているのは、カヴェルはその「自律性」概念を思考するに際して、多くの概念をマイケル・フリードの諸論そしてグリーンバーグから借りていることだ。たとえば、以下を参照。 Stanley Cavell, *The World Viewed*, enlarged edition, Cambridge MA and London, England: Harvard University Press, 1971, xxiv-xxv, pp. 20-23.

*04　Rosalind Krauss, *Under Blue Cup*, Massachusetts: Cambridge, The MIT Press, 2011, p. 19.

*05　この問題は、実は、クラウスの70年代のグリッド論にまで遡る。グリッドは、平面性の反復的なシミュラークルであることで、何度もモダニズムの絵画において再利用されることになるというその論旨は、そっくりそのまま「発明＝反復」というここでの仮想の回答と重なる。それを逆から見れば、平面性を唯物論的な実体と捉えるグリーンバーグからの距離をとったグリッド論にすでに、のちのクラウスの「メディウム」論が予告されていたと言うこともまた可能かもしれない。

*06　グリーンバーグのシュルレアリスム評価については、たとえば、以下を参照のこと。Clement Greenberg, "Surrealist Painting," in *Clement Greenberg: The Collected Essays and Criticism, vol 1: Perceptions and Judgments 1939-1944*, ed. John O'Brian, Chicago and London: The University of Chicago Press, 1986, pp. 225-231.

*07　塚原史『ダダ・シュルレアリスムの時代』、ちくま学芸文庫、2003年、30頁。

*08　Walter Benjamin, *Reflections*, ed. Peter Demetz, trans. Edmund Jephcott, New York: Harcourt Brace & World, 1978, p. 181.

*09 ベンヤミンの「静止状態の弁証法」については、たとえば、以下の部分を参照のこと。ヴァルター・ベンヤミン『パサージュ論』第3巻、今村仁司、三島憲一ほか訳、岩波現代文庫、2003年、186頁。ここでベンヤミンは、過去と現在の一瞬の「閃光」のような邂逅を、時間的というよりは「形象的」だと形容し、この形象の内部に「静止状態の弁証法」が宿ると主張している。

*10 Walter Benjamin, *Illuminations*, ed. Hannah Arendt, trans. Harry Zohn, New York: Harcourt Brace & World, 1968.

│ 訳者あとがき

　本書は、Rosalind Krauss, *A Voyage on the North Sea: Art in the Age of the Post-Medium Condition*, Thames & Hudson, 1999. の全訳である。タイトルを直訳すると「北海航行──ポストメディウム的条件時代の芸術」といったものになるが、これだと何についての本なのかが伝わりづらいため、本題副題を入れ替え、さらに「条件」を落として「ポストメディウム時代の芸術──マルセル・ブロータース《北海航行》について」とした。「《北海航行》」は、本書が対象とするベルギーの美術作家マルセル・ブロータース（1924 – 1976）の作品タイトルである。原著の副題には、おそらくヴァルター・ベンヤミンの「複製技術時代の芸術作品」（英題：*The Work of Art in the Age of Mechanical Reproduction*）とジャン＝フランソ

ワ・リオタールの『ポストモダンの条件』（英題：*The Postmodern Condition*）の二つの含みが持たせてある。ひとつのタイトルのなかに二つを込めると混乱したものになるので省略したが、後者のニュアンスも本書全体に響いていることを明記しておきたい。

　60年代以降のアメリカを中心とした現代美術、あるいは美術批評については、すでにわれわれの頭のなかに「公式」の歴史がある。美術作品を、とりわけ絵画を、内容や主題から解放し、その形式的要素のみに焦点を絞り、作品を自律したものとして分析する方法を打ち出した「クレメント・グリーンバーグ」の「モダニズム批評」あるいは「形式主義批評（フォーマリズム）」が強い影響力を持つようになった。この自律性は、絵画を絵画たらしめている本質を探ることで達成されることになっている。つまり、絵画以外の芸術にも見出すことのできる共通の属性を夾雑物として取り除き、絵画を最小限の成立条件にまで切り詰めていくことで、他の表現形態から独立した、絵画でしかない絵画に到達する、

というものである――この伝でいくと、各ジャンルそれぞれが同様の仕方で固有性と自律性を獲得できるということになる。ここに登場するのが「メディウム」という考え方である。美術の領域で用いられるこの語は、一般的には絵具のことを指し、絵画とは支持体（カンヴァス）の上に絵具（メディウム）が載った表現形態ということになるわけだが、「グリーンバーグ」の主張によると、絵画の成立条件としては、物質的な平面のカンヴァスさえあればいいということになり、したがって、「モダニズム批評」の文脈では、「メディウム」＝物質的支持体ということになる。現にこの当時、モノクローム絵画のように物質的支持体を強調した抽象絵画が多数制作されることになるのだった。

　ただしこの「公式」の歴史は、グリーンバーグについての粗雑な単純化を経たものである。彼のテクストに実際に当たってみると、事情は上記とはいくぶん異なっており、グリーンバーグの言う「メディウム」は必ずしも物質的支持体ではないし、当然といえば当然

だが、抽象絵画も決して物質的支持体のみに還元されたわけでもない。本書は「メディウム」について、「グリーンバーグ」についてのそうした誤解を修正しながら、「メディウム」の可能性を再検証していく。

いま述べた理由から、「ポストメディウム」をタイトルに持つ本書は、「グリーンバーグ」の還元主義的な「メディウム」概念が機能しなくなった後（＝ポスト）の状況を論じたものであり、「ポストメディウム」を概念として提唱したもの、と短絡的に紹介されることがある。しかし著者ロザリンド・クラウスの論点はそこにはなく、本書は「ポストメディウム」と呼ばれる状況を既存の前提として、いま一度「メディウム」を焦点化するものだ。つまり、本書はポストメディウム論ではなくメディウム論なのである。

そして本書は、メディウム論である前に、何よりもマルセル・ブロータース論である。本書について論じたものはいくつもあるのに、ブロータースの作品について触れたものがほとんどないのは、不思議といえば

不思議なことだ。たしかにクラウスの論の運びには、フランス現代思想を中心に絢爛多彩な理論や概念が組み込まれることが多く、その論理展開が魅力のひとつであることは間違いないだろう。しかし、彼女の筆の先にはつねに具体的な対象があり、理論、概念はきっとその対象の分析、記述、検証、解剖へと収斂していくのである。「FINE ART」の判じ絵、フィクションの「美術館」プロジェクト、《私のコレクション》、《シャルル・ボードレール。私は線を動かす運動を憎む》、《賽の一振りは断じて偶然を廃することはないだろう、イメージ》《北海航行》などなど。必ずしも網羅的ではないが、ブロータースの稀有な個性が表れた作品のあれこれが、透徹したクラウスの分析とともにつぎつぎと提示されていくことこそが本書の骨子のように思うのだ。そして「メディウム」についての彼女の議論は、ブロータース作品の分析から導出された、彼独自の「メディウム」の使用法を軸に展開していく。

　では、ブロータースの用いる「メディウム」とは何

か。彼の膨大な作品群に用いられる「メディウム」は多岐にわたるが、そこでのもっとも重要な特徴は「アナクロニズム」だと言っていいだろう。コンセプチュアル・アートを先導し、インターメディア・アートの作家として進取の気性に富んでいるかに見えるブロータースはしかし、その作品の「メディウム」に必ず回顧的な要素を導入している。古典主義絵画、初期映画、ボードレール、マラルメ、温室、パノラマなどがそれである。これら前時代の文化の残滓が、過去の一点と現在とを連結させる。いま「アナクロニズム」と述べたのは、そういう意味だ。こうしたブロータースのアナクロニズムは、本書ではヴァルター・ベンヤミンが『パサージュ論』で展開した「蒐集家」と紐づけられる。ベンヤミンの言う19世紀の「蒐集家」は、ブルジョワの消費家と対極をなす存在で、資本主義システムから外れ交換価値を失った「時代遅れのモノ」を蒐集し、それらによって自らの新たな体系を作り出す人物のことである。こうした「蒐集家」と同様、ブロータース

は、耐用年数の切れた「時代遅れのモノ」を作品に組み込むことで、無化されたはずの「メディウム」そのものの魅力を拾い上げていく。これはまた、かつて「モダニズム」が本質を求めて削ぎ落とした不要の夾雑物が、本質ならざる本質として輝きを放って前景化してくるという逆説であり、ポストメディウム的状況において「メディウム」が再発明されるということでもあるのだった。

　私がロザリンド・クラウスの翻訳書を刊行するのは、『独身者たち』(平凡社、2018年)につづいて2冊目である。今回も林道郎氏から大きな協力を得た。盤根錯節に絡み合ったクラウスの文章を解きほぐすには、背景にある文脈についての知識が不可欠であり、圧縮された表現の解凍、力点の移動、脱線の処理を丁寧に行わないと、意味を取り違うことにもなりかねない。現代美術について、ロザリンド・クラウスについて知悉している林氏の助力がなければ、ここまで精度の高い訳書に仕上げることは決してなかった。現に林氏からは、い

くつかの致命的な誤訳をご指摘していただいた。訳出の作業を始めたのは昨年3月のことだったように思う。それから毎月1回のペースで、私が作成した訳稿をもとに、林氏と水声社の井戸亮氏の3人でオンラインでの読み合わせを行った。井戸氏もまた訳稿について忌憚のないさまざまな意見をくださった。毎回夜遅くまで付き合ってくださった両氏には、心底感謝申し上げる。そして何よりも、議論を交わしながら難解なテクストが少しずつほぐれていく過程は、本当に楽しい経験だった。なぜなら、この翻訳書を誰よりも欲していたのは、私自身にほかならないからだ。改めて、本当にありがとうございました。

2022年8月10日　　　　　　　　　　　　　井上康彦

| 著者・訳者について

ロザリンド・クラウス（Rosalind Krauss）

1941 年生まれ。コロンビア大学教授。専攻、美術史・美術批評。主な著書に、『アヴァンギャルドのオリジナリティ──モダニズムの神話』（1985 年、邦訳、月曜社、2021 年）、『視覚的無意識』（1993 年、邦訳、月曜社、2019 年）、『アンフォルム──無形なものの事典』（イヴ = アラン・ボワとの共著、1997 年、邦訳、月曜社、2011 年）、『ピカソ論』（1998 年、邦訳、青土社、2000 年）、『独身者たち』（1999 年、邦訳、平凡社、2018 年）などがある。

井上康彦（いのうえやすひこ）

1977 年生まれ。東京藝術大学大学院美術研究科博士課程単位取得満期退学。専攻、美学・表象文化論。訳書に、ロザリンド・クラウス『独身者たち』（平凡社、2018 年）、ハル・フォスター、ロザリンド・クラウスほか『ART SINCE 1900 ──図鑑 1900 年以降の芸術』（共訳、東京書籍、2019 年）などがある。

ポストメディウム時代の芸術
—— マルセル・ブロータース《北海航行》について

2023 年 3 月 10 日第 1 版第 1 刷印刷
2023 年 3 月 20 日第 1 版第 1 刷発行

著　　　者　ロザリンド・クラウス
訳　　　者　井上康彦
発 行 者　鈴木宏
発 行 所　株式会社 水声社
　　　　　　東京都文京区小石川 2-7-5　郵便番号 112-0002
　　　　　　電話 03-3818-6040　fax 03-3818-2437
　　　　　　[編集部] 横浜市港北区新吉田東 1-77-17　郵便番号 223-0058
　　　　　　電話 045-717-5356　fax 045-717-5357
　　　　　　郵便振替 0180-4-654100
　　　　　　URL http://www.suiseisha.net
デザイン　滝澤和子
印刷・製本　精興社

ISBN978-4-8010-0698-0
乱丁・落丁本はお取り替えいたします。

A VOYAGE ON THE NORTH SEA by Rosalind Krauss
Published by arrangement with Thames and Hudson Ltd, London,
A Voyage on the North Sea © 1999 Rosalind Krauss. This edition first published in Japan in
2023 by Editions de la rose des vents - Suiseisha, Tokyo, through Tuttle-Mori Agency, Inc.,
Tokyo.
Japanese Edition © 2023 Editions de la rose des vents - Suiseisha.